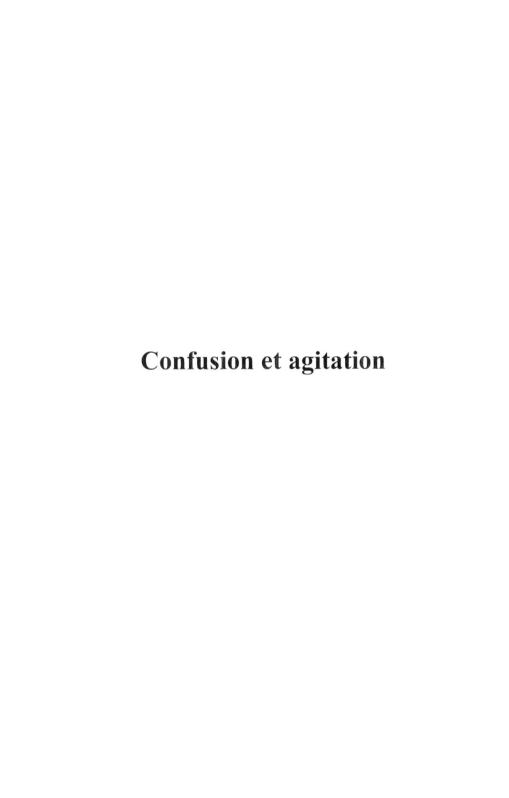

Confusion et agitation

Aïssatou D. Ehemba

Confusion et agitation
Nouvelles

LE LYS BLEU
ÉDITIONS

Nouvelle I
Elle qui danse la nuit

Printemps 1943
Dans un petit village de Provence

Deux vieillards assis sur un banc parlent de la pluie et du beau temps. Ils sont endimanchés. C'est jour de messe. Leurs yeux fatigués par l'âge et la cataracte regardent sans les voir les enfants regroupés sur le trottoir d'en face.

Le groupe est composé de garçons et filles de tous âges. Chaque dimanche, un peu avant dix heures ils se retrouvent devant la vitrine de cette boulangerie pour organiser leur après-midi. Ils ont tous la même et unique consigne. Ils ne doivent pas se salir avant d'aller à l'église.

Parmi eux, il y a une fratrie. Un frère de six ans et ses sœurs de dix et treize ans. À première vue, rien ne les distingue. Comme les autres, ils sont bien habillés et leurs cheveux bien coiffés. Pourtant, ces trois enfants sont très différents de leurs camarades. Ils ont perdu l'innocence de l'enfance un matin de l'année 1941. La veille du jour où leur mère les a confiés à cette belle inconnue en leur disant qu'elle s'occuperait d'eux pendant quelque temps. Ce jour où elle leur a fait promettre d'être sages et de bien écouter la dame. Ils se sont embrassés et ont beaucoup pleuré. Mais ils ont promis. Puis le long voyage a commencé.

Il y a eu les caves et cachettes où ils ont appris le silence et à retenir leurs larmes. Puis le couvent avec pour réconfort l'amour et la patience des sœurs. Ensuite, les refuges où, au fur et à mesure qu'ils progressaient, on les a accueillis, réchauffés et nourris. Et enfin, il y a eu, ce village et sa boulangerie, symboles de la fin du voyage, du froid et de la peur.

Deux années ont passé. Ils n'ont jamais revu leur mère. Sacrifice ultime d'une mère promise à la mort pour ses origines et qui a fait le choix de sauver ses enfants en les confiant à une autre.

Son visage s'est estompé peu à peu dans l'esprit du petit garçon. Contrairement à celui de ses sœurs dans lequel il restera gravé à jamais. Fort heureusement, ils sont restés ensemble. Grâce au courage et à l'acharnement d'hommes et femmes croisés pendant leur périple qui ont mis en danger leur propre vie pour sauver les leurs. Des âmes charitables vivant dans la clandestinité et refusant de se plier à l'ennemi sans avoir au moins essayé.

Aujourd'hui, ce sont des enfants au milieu d'autres qui bavardent sur le perron d'une boulangerie, comme ayant oublié. Mais ce n'est qu'apparence car parfois les cauchemars reviennent. Ils ont simplement décidé de refouler tout au fond de leur mémoire mauvais souvenirs et moments sombres.

Ici, ils sont chez eux. La boulangerie et l'appartement au-dessus sont leur nouvelle maison. Un foyer dans lequel un vieux couple, d'une générosité sans limite les a reçus à bras ouverts.

La propriétaire des lieux gronde parfois et tout le monde, son mari compris, se cache jusqu'à ce que cesse la tempête. Mais on y rit également beaucoup.

Marguerite est une femme énergique malgré sa petite taille et ses rondeurs. Elle parle très fort et lorsqu'elle se fâche son patois provençal résonne jusqu'à la place des boules.

Son mari Fernand est un grand gaillard qui travaille la vigne, mais face à elle, il ne fait pas le poids. Bon joueur, il lui laisse toujours le dernier mot, ce qui lui permet de s'échapper pour aller jouer aux cartes au café du coin avec ses copains.

Chien qui aboie ne mord pas, affirme-t-il toujours aux enfants avant de se sauver. Et lorsqu'il revient, c'est toujours avec un bouquet de fleurs pour sa belle comme il dit.

Un mariage heureux de trente ans, longtemps noirci par un seul regret, celui de ne pas avoir d'enfant. Le noir a été remplacé par la couleur du bonheur.

Désormais, ils en ont trois. Ils sont comblés.

Ils ont conjuré le mauvais sort lorsque Marguerite a été contactée par une connaissance. Celle-ci, membre d'un réseau de sauvetage d'enfants promis à un avenir incertain cherchait un endroit sûr et loin des zones occupées. Malgré leur âge avancé, elle et Fernand n'ont pas hésité une seconde à adopter ces enfants afin de leur donner un avenir meilleur. Ils ont trouvé la paix et surtout ils sont parvenus à garder leur secret.

Personne dans le village n'a posé de question lorsque ces enfants sont arrivés accompagnés d'une élégante femme, qu'on a supposé être leur mère. Nul ne s'est étonné lorsqu'ensuite elle s'en est allée sans les enfants, restés à la boulangerie de Marguerite et Fernand.

Peut-être parce que les commerçants ont propagé bien avant le bruit que cette cousine souffrante leur confierait ses enfants pour quelque temps. Et ensuite, ne la voyant pas revenir les chercher, les villageois en auront tiré la conclusion que la maladie l'a emporté.

Finalement, les habitants se sont habitués à voir le trio et il n'y eut plus de rumeur. Ils sont devenus des enfants du village comme les autres et surtout, ceux des boulangers. On les appela les petits de Marguerite.

Août 1970, dans ce même village...

Une femme tenant une fillette par la main sort de la boulangerie. Un sourire aux lèvres, elle se dirige vers la place. Il ne reste plus qu'un seul banc libre. Tous les autres sont occupés. Elle veut juste s'asseoir un instant afin de profiter du soleil. Ensuite, elle rentrera préparer le repas de midi. La petite fille lèche avec gourmandise une sucette offerte par la boulangère. Cette dernière adore les enfants et sait leur parler. Elle vient d'accoucher et fera sûrement une très bonne mère de l'avis de la femme assise sur le banc.

Sur le trottoir d'en face, d'autres clients entrent et sortent de la boulangerie, qui avec une baguette, qui avec un sachet de croissant ou autre.

Derrière son comptoir, Esther les accueille avec un grand sourire et un mot gentil pour chacun. Elle est sortie de l'hôpital il y a seulement deux jours et est déjà à sa caisse. Près d'elle, il y a un landau avec un bébé endormi. Le bruit et les va-et-vient ne semblent pas le perturber. Il sent que sa mère est tout près et sommeille paisiblement.

La maman est radieuse. Les clients ne cessent de la féliciter depuis ce matin et chacun y va de son compliment.

Il est vrai qu'Esther est très appréciée depuis toujours dans ce village et on la connaît également pour sa grande générosité. Les anciens disent même parfois qu'elle leur rappelle sa mère Marguerite. Elle rit du compliment et ne répond jamais.

Oui, Marguerite lui a tout appris et lui a inculqué ses valeurs. Elle lui manque tous les jours depuis qu'elle les a quittés. Depuis ce jour funeste, dix ans auparavant, on n'entend plus retentir sa grosse voix entre les murs du magasin. Mais son esprit est là.

Esther regrette qu'elle soit partie avant d'avoir vu sa petite fille. Elle l'aurait beaucoup aimée.

Chassant ces pensées, elle se rend dans l'arrière-pièce où son mari s'active devant un grand four et annonce qu'il lui faudra quelques croissants en plus sous peu. Il lui répond par un grand sourire et retourne à sa tâche.

Revenue derrière le comptoir elle réajuste le drap léger qui recouvre le bébé avant de faire un peu de rangement sur ses rayons en attendant les prochains visiteurs.

Malgré les efforts, elle ne peut empêcher ses souvenirs de remonter à la surface et se retrouve propulsée vingt ans en arrière, à l'époque où elle, sa sœur Édith et son frère David sont arrivés dans cette maison.

Elle se souvient avec nostalgie de l'accueil chaleureux de ses parents adoptifs et de la gentillesse des gens du village.

Ici, ils ont eu une belle enfance, bien que les premières années aient été difficiles pour elle et sa sœur cadette.

Pour David, très jeune à leur arrivée, les bons moments ont rapidement effacé les mauvais et entouré d'amour de toute part, il est vite devenu un garçon curieux de tout et malin comme un singe.

À présent adulte, c'est un beau brun calme et posé exerçant la profession de notaire à deux cents kilomètres de là. Il dit ne pas être prêt ni pour le mariage ni pour les enfants. Il veut faire carrière et plus tard ouvrir son propre cabinet. Elle le voit de moins en moins et leurs rapports s'espacent avec le temps. Mais les liens fraternels sont là.

Sa sœur Édith, d'une nature rêveuse depuis l'enfance, est devenue artiste-peintre. Après un premier amour houleux, elle est partie pour la capitale. Puis, elle s'est envolée à l'étranger avec un mari cinéaste. Elle n'a pas eu d'enfant. Elle dit n'avoir pas assez de temps pour cela. Mais en réalité, c'est tout autre chose qui l'en empêche. Mais elle ne veut pas l'admettre et se cache derrière ce prétexte. Longtemps, elle et sa grande sœur ont évoqué en secret le sujet de leur mère, se demandant ce qu'elle a pu devenir. Puis elles ont cessé d'un tacite accord en l'imaginant quelque part, saine et sauve, mais dans l'incapacité de les retrouver.

Esther ressemble trait pour trait à sa mère. Elle est devenue très belle en grandissant. Souvent, on lui prête une ressemblance avec une célèbre actrice Américaine aux origines juives. Elle sourit et feint l'étonnement. Mais elle aussi trouve que cette femme a des airs de sa mère. Mais elle refuse de laisser libre court à son imagination. Ce ne peut être que le fruit du hasard et de sa mémoire d'enfant qui s'estompe peu à peu. Le manque de sa mère lui a souvent joué des tours par le passé. Elle a, tant de fois, cru la voir dans chaque femme croisée… Aujourd'hui, elle préfère faire comme si elle l'avait oublié. Pourtant, cette actrice… Non elle préfère ne pas y songer. C'est juste une coïncidence. Rien de plus.

Esther, l'aînée des trois n'est jamais parvenue à faire table rase de ce lourd passé. Elle était déjà grande au moment des événements et en âge de comprendre. Malheureusement. Elle a vu son père sortir un matin pour ne plus jamais revenir. Assisté au spectacle déchirant de sa mère effondrée, réconfortée par quelques amis fréquentant la même synagogue. Elle les a entendus parler des rumeurs de rafles dans les environs et à Paris. Oui, Esther a tout entendu et beaucoup vu. Elle n'a rien oublié. Ni leur fuite ni ce jour béni où ils sont arrivés dans ce village du Sud. Tout est toujours là, tapi dans un coin, au fond de sa mémoire, le mauvais comme le bon.

Elle est la seule à être restée dans ce village qui les a adoptés. La seule aussi à être mère d'une jolie petite Marie-Marguerite, choix délibéré d'Esther de donner les noms de ses deux mères à son nouveau-né. Hommage à la femme qui l'a mise au monde et qui n'a pas hésité à les confier à d'autres pour leur sauver la vie, mais également à celle qui les a accueillis, élevés et choyés comme ses propres enfants.

Fernand et Marguerite ne sont plus mais la boulangerie leur a survécu grâce à Esther. Ayant toujours travaillé avec ses parents d'adoption, cela s'est fait tout naturellement à leur mort. Comment faire autrement ? Ici, elle, sa sœur et leur petit frère ont eu une seconde chance et une enfance plus qu'heureuse. Dans l'appartement du dessus, ils ont joué et grandi entre ses parents hauts en couleur mais dont la bonté et la gentillesse n'ont pas d'égal. Ils n'étaient pas riches, mais leurs enfants n'ont manqué de rien.

Esther, qui a vite compris que de longues et hautes études n'étaient pas dans ses projets s'est vite impliquée dans la boulangerie. Plus tard, elle y est devenue essentielle, la santé de Marguerite déclinant peu à peu avec l'âge. Lorsque Fernand s'est éteint dans son sommeil, la vieille dame a succombé moins d'une année après. Un peu comme ces inséparables, magnifiques oiseaux dont la légende dit que leur lien est si fort que quand l'un s'éteint l'autre suit.

Il y a d'ailleurs un rendez-vous que la jeune mère ne rate pour rien au monde.

Chaque semaine, Esther se rend au cimetière du village pour déposer un bouquet de fleurs sur les deux sépultures.

En remettant de l'ordre dans le landau où repose son bébé, elle songe que la prochaine fois, ce sera accompagnée qu'elle s'y rendra. Elle doit présenter la petite Marie-Marguerite à ses grands-parents.

1

De nos jours

Elle s'appelle Marie.

C'est la boulangère du village où nous vivons depuis presque un an.

Mon mari et moi avons acheté un petit terrain sur lequel nous avons fait construire une maison de plain-pied avec trois chambres, un garage et un jardin, avec tout autour des lauriers et des rosiers que nous avons plantés dès notre arrivée.

Pour parfaire le tableau, à l'arrière de la maison se trouve une forêt boisée d'immenses cèdres et de mélèzes. Nous aimons beaucoup nous y balader, ou y pique-niquer en famille durant l'été, sous l'ombre bienfaisante des arbres.

En ville, tout est devenu béton, il n'y a presque plus de végétation. Les pins parasols et platanes bordant les avenues ont été peu à peu remplacés par des pistes cyclables, couloirs d'autobus ou emplacements de stationnements. Par-ci et par-là des jardinières fleuries ont été placées, comme en offrande à la nature qu'on a offensée. Vaine tentative car rien ne pourra remplacer les arbres millénaires qui ont été déracinés. C'est ainsi.

Nous avons trouvé notre petit coin de paradis tout à fait par hasard, un jour de promenade en voiture avec les enfants. Nous en avons deux. Un garçon de six ans, Timéo et une fille de quatre ans Juliette.

Au départ, nous cherchions une résidence secondaire dans un endroit tranquille, mais pas trop loin pour le travail de mon mari. Un endroit tranquille pour passer les week-ends et les vacances, loin de toutes les nuisances et de la pollution. Nous nous sommes arrêtés dans cette bourgade par une belle journée de printemps. C'est jour de marché sur la place et l'ensemble dégage une belle atmosphère.

Au café où nous sommes installés, nous nous renseignons sur la qualité de vie des habitants dans le secteur et sommes rapidement séduits.

Nous revenons en été puis en automne et à notre troisième visite nous avons fait la connaissance de la moitié du village.

Ici, il n'y a qu'un point névralgique, la place du village, communément appelée place de l'église par les habitants pour des raisons évidentes.

L'église à l'architecture romane domine de toute sa hauteur ce lieu de vie d'où et vers où tout converge. En arrivant du côté ouest, il y a l'unique café, un bureau de tabac, faisant également maison de la presse, puis le boucher et la mairie. De l'autre côté se trouvent le bureau de poste, la petite agence bancaire et la boulangerie-épicerie. Toutes ces commodités entourent un terrain de boules, avec ses quelques bancs et ses toilettes publiques. C'est le lieu de rendez-vous des petits vieux du village à l'arrivée des beaux jours.

Lorsque nous sommes revenus signer les papiers pour l'achat du terrain, la rumeur nous est parvenue que l'unique docteur du coin veut prendre sa retraite. Il cherche un remplaçant pour lui succéder. Une véritable aubaine pour nous car justement, mon mari est médecin. Plus précisément, médecin – urgentiste à l'hôpital. Depuis un certain temps, Patrick aspire à un peu plus de calme. Il aime son métier par-dessus tout mais les conditions d'exercice de sa fonction se sont tant détériorées ces dernières années qu'il en est malade. Au fil de nos conversations, l'idée de quitter le grand établissement et surtout la ville pour s'installer comme médecin dans une plus petite ville a fait son chemin. En visitant ce village, l'opportunité est tombée à pic et nous n'avons pas hésité. Notre vie a basculé à ce moment-là. Et nous voilà, aujourd'hui, installés dans ce village de 1300 habitants tout au plus.

Mon mari a repris le cabinet du docteur Grizetti. Les affaires marchent bien et la clientèle s'est peu à peu habituée au changement et au nouveau docteur, qui, il faut le souligner, est charmant, de l'avis des dames de 40 à 87 ans des environs.

Moi je suis styliste à mon compte. Je travaille de la maison et dessine pour des petites maisons au coup par coup. Mais les contrats se font rares ces temps-ci. En ce moment, je ne travaille que sur une seule commande, aussi j'organise mon emploi du temps en fonction de celui des enfants.

Tous les matins, nous nous rendons à l'école à pied. Elle n'est située qu'à un kilomètre de chez nous. Cela nous fait faire un peu de marche et c'est aussi l'occasion de passer du bon temps. Le soir, c'est le bus scolaire qui les ramène et les dépose devant la maison, un service très appréciable, surtout lorsque je serai trop prise par le temps. Ainsi, je n'aurai pas à m'inquiéter de ce côté-là.

Une fois les petits entrés en classe, je fais souvent un crochet par la boulangerie pour y acheter du pain de campagne bien croustillant et des goûters pour Juliette et Timéo. J'essaie de varier les plaisirs à chaque passage.

Puis, je rentre et m'enferme pour travailler dans la pièce qui me sert de bureau et d'atelier.

C'est tous les jours la même routine mais ça me plaît bien, le petit malaise du passage à la boulangerie mis à part.

La boulangerie est très propre et bien agencée. Le coin épicerie est achalandé et tout est bien étiqueté. Mais il n'y a pas d'espace dégustation sur place.

Quant à la boulangère, Marie, elle est grande et de forte corpulence. Il est difficile de lui donner un âge, mais je pense qu'elle doit être dans la cinquantaine. Mais ce qui me marque le plus chez elle, à part son visage ingrat, c'est son manque d'amabilité.

On peut être moche et être la plus merveilleuse des personnes !

Là, ce n'est carrément pas le cas !

La boulangère parle très peu, ne disant que le strict nécessaire à sa fonction. Elle répond par monosyllabes et en plus, ne vous regarde même pas quand elle s'adresse à vous.

Il m'arrive parfois même, lorsque nous sommes plusieurs dans le commerce, de ne pas savoir à qui elle s'adresse… Je ne dois pas être la seule dans ce cas vu les œillades que nous nous lançons entre clients présents.

Une fois, je me suis même demandé si un problème de dentition ne serait pas la source du refus constant de sourire de la boulangère. Mais non, elle semble avoir de bonnes dents car parfois, elle croque sans gêne un bout de quignon, en attendant que nous fassions notre choix. Elle est vraiment bourrue mais par-dessus tout, elle est étrange.

Patrick, mon mari, loin de toutes ces considérations, s'est gentiment moqué de moi quand je lui ai parlé de la femme la toute première fois. Ne l'ayant pas encore reçue en tant que cliente, il ne peut pas se la représenter physiquement. Comme il ne m'a pas pris au sérieux, j'ai abandonné le sujet et suis passée à autre chose. Je n'ai plus parlé de la boulangère et plusieurs mois ont passé. Entre le travail, les enfants et les améliorations de notre habitat, je n'ai plus eu une minute.

Puis, une de mes créations a retenu l'attention d'une grande marque de vêtements. Je dois leur soumettre un projet solide dans un délai de deux mois. Heureuse de ce challenge au départ, je commence à stresser, l'échéance de livraison arrivant rapidement. Les enfants et Patrick m'encouragent en me disant que je suis la meilleure. Mais je suis épuisée et plus si sûre de moi. Cette collection est un test qui, s'il s'avère concluant, sera une consécration. Cela pourra également faire décoller ma carrière. Mais si c'est un échec...

Je ne veux même pas y penser ! J'ai trop peur de me porter la poisse toute seule rien que d'y songer.

Le temps passe trop vite lorsque l'on est occupé.

Je suis maintenant à dix jours de la date fatidique et aujourd'hui je n'ai pas mis le nez hors de mon atelier de travail. Hier soir, j'ai déposé les enfants chez ma sœur pour le week-end.

J'ai des douleurs cervicales et la tête lourde comme un ballon de basket. Tout à coup, je n'en peux plus. Il faut que je sorte prendre l'air. Tout de suite ou je vais péter les plombs !

Je me suis mise en survêtement ce matin, aussi je décide d'enfiler mes tennis et d'aller courir à travers bois pour me défouler.

Mon mari ne rentrera pas du cabinet avant une bonne heure ou deux. Donc je n'ai rien qui ne puisse être remis à plus tard.

Mon téléphone mobile dans la poche et une petite bouteille d'eau à la main, je suis parée. Je ferme la porte à double tour et pars à petites foulées en direction du bois.

Qu'est-ce que ça fait du bien !

J'aurais dû le faire avant. Quelle tête de mule je suis des fois…

Je parle à haute voix mais je m'en fiche vu que je suis seule sur ce chemin de terre. Je poursuis ma course et pousse jusqu'à une zone où je n'ai jamais été jusque-là. Tiens, là-bas il y a une espèce de petite cabane. Au premier abord, elle fait délabrée, mais en approchant on peut voir qu'elle tient solidement debout. Je m'arrête de courir pour reprendre mon souffle tout en regardant cette drôle de masure. On dirait une baraque comme les chasseurs aiment en avoir pour s'abriter en cas de pluie ou simplement pour se reposer. Mais quelque chose cloche. Bien que semblant inoccupée, la bicoque a un auvent fraîchement verni et les marches semblent assez bien entretenues. Sur l'une d'elles, il y a un bouquet de fleurs toutes fraîches, chose plus que surprenante dans ce décor.

Qui a bien pu déposer ces fleurs ici ? Et pourquoi ?

J'avance jusqu'aux marches et regarde de plus près la composition florale. Puis je lève les yeux vers la porte close et les fenêtres barricadées par des planches en bois. Nulle âme qui vive ici a priori. Mais alors ces fleurs ?

Sur cette pensée qui n'en restera qu'une, je tourne les talons et reprends ma course en sens inverse. Il faut rentrer maintenant.

Vingt minutes plus tard, j'arrive à la maison et me rue aussitôt sous la douche. Une folle plénitude me gagne. Ce petit footing m'a fait beaucoup de bien, je dois bien l'admettre. À partir de cet instant, je décide de renouveler l'expérience de manière quotidienne. Une heure de course tous les jours. Ça ne pourra pas me faire de mal. Au contraire. Nouvelle vie, nouvelles résolutions.

Le lendemain et les jours qui suivent, je tiens parole et vais courir dans le petit bois dès les enfants déposés en classe. Au gré de mes envies du moment, j'emprunte des sentiers au hasard. Au bout d'une semaine, je connais tous les chemins de cette forêt qui, il est certain n'est pas très vaste.

Un jour où, pour une fois, je ne vais pas courir le matin, je décide d'y aller en fin d'après-midi. Les enfants sont chez un de leur camarade pour un anniversaire et dormiront sur place. Ils rentreront demain dans la journée.

Mes pas me ramènent là où tout a commencé. Sans savoir pourquoi je me retrouve devant la cabane. Il y a encore un bouquet de fleurs devant l'entrée. Mais celui-ci est différent du précédent. Ce sont des fleurs jaunes, des tournesols précisément. Vraiment bizarre ! Je décide d'aller voir de plus près et constate la fraîcheur des fleurs. Elles doivent avoir été déposées très peu de temps avant mon arrivée.

Je tourne la poignée de la porte. Raté ! Elle est verrouillée. Comme s'il y avait un trésor à voler dans ce taudis ! Je décide de faire le tour par la droite pour aller voir ce qu'il y a de l'autre côté. Rien non plus. Mis à part un vieux puits depuis longtemps tari. Près de lui, il y a une balancelle dont les cordes sont si usées que personne ne se serait risqué à s'asseoir dessus.

Je finis mon tour par le dernier côté quand je tombe sur une fenêtre non obstruée comme les autres. Mais les vitres sont si sales que ça revient au même. On ne voit rien à travers. J'ai beau scruter, main en visière, mais rien. Je ne parviens pas à distinguer quoi que ce soit à l'intérieur de l'habitation.

Je laisse tomber et retourne vers l'avant de la maison et là je suis clouée sur place, stupéfaite. Les fleurs ont disparu ! Alors là, je suis scotchée !

À tout casser j'ai à peine mis cinq minutes pour faire le tour de la cabane et je n'ai ni croisé, ni entendu personne.

Comment le bouquet de fleurs s'est-il volatilisé ?

Je lève la tête et regarde vers le toit sans vraiment y croire. Beaucoup de choses me passent par la tête à cet instant. Non. Impossible ! D'ailleurs le toit, comme le reste de la cabane est dans un état pitoyable. Monter là-haut aurait été complètement suicidaire. En plus, je n'ai entendu aucun bruit ni grincement.

Je repars d'un pas rapide vers le chemin, tout en jetant par moments des regards un peu inquiets par-dessus mon épaule. J'ai l'impression qu'on m'observe. Mais je ne vois personne. C'est juste une de ces sensations qui vous met mal à l'aise.

Gagnée par une peur inexplicable, j'accélère le pas, puis me mets carrément à courir en mode sprint comme Hussein Bolt. Maintenant, j'ai vraiment la frousse !

Avec toutes les émissions de faits divers et les séries policières que je regarde, il y a de quoi imaginer le pire.

J'arrive chez moi et suis rassurée de voir la voiture garée dans l'allée. Patrick est déjà rentré et m'attend dans le salon. Il a préparé un petit plateau pour l'apéritif. Quelle touchante attention ! Un rapide baiser sur les lèvres et je file prendre une douche.

Moins d'un quart d'heure après, un verre de rhum citron à la main, je lui raconte mon histoire. Il rit en disant que j'ai sans doute pénétré dans un univers parallèle, ou la quatrième dimension. Je ris aussi de sa blague mais je ne suis toujours pas apaisée. Je n'arrive pas à m'expliquer ces fleurs que j'ai vues et qui ensuite ont disparu comme par magie. Patrick non plus n'a pas d'explication pour le coup. Et nous restons là, à siroter nos verres tout en grignotant des bretzels.

La soirée en amoureux se déroule calmement. Ça fait quelque temps que mon mari et moi n'avons pas eu de moment à nous, sans les enfants. D'ailleurs, Patrick m'informe que la mère de leur copain Nathan a appelé pour dire qu'elle les ramènera vers onze heures demain. C'est dimanche et nous n'avons rien prévu. J'ai besoin de me reposer un peu avant la dernière ligne droite pour mon travail. Mon mari me promet de s'occuper de tout. Un barbecue fera très bien l'affaire. Une petite salade de tomates des merguez et de la glace en dessert, ce sera parfait. Les enfants adorent ça.

En attendant, la soirée s'annonce agréable avec une longue nuit devant nous.

2

Dimanche, une heure du matin

Je suis réveillée. Quelque chose m'a dérangé dans mon sommeil. Impossible de me rappeler quoi. Je n'arrive pas à me rendormir.

Deux heures du matin. Toujours dans mon lit, les yeux grands ouverts, je ne trouve plus le sommeil. En plus, j'ai chaud.

Autant me lever. Je ne vais pas réveiller mon mari pour rien. Je me dirige pieds nus et en tee-shirt jusqu'à la cuisine sans allumer.

À la lueur de la pleine lune, je me sers un bol de lait avec une touche de miel que je chauffe au micro-ondes. J'attends patiemment que la minute et demie s'écoule. Tout est calme dans la maison mis à part le ronronnement de l'appareil.

Par la fenêtre, je regarde au-delà de notre jardin, vers le bois où j'aime courir. Tout est sombre et presque menaçant à cette heure tardive. C'est étrange cette façon dont on perçoit les choses selon que c'est le jour ou la nuit. Tout est différent.

Je suis tout à coup parcourue de frissons.

Le bip de fin de l'appareil me fait sursauter et me ramène à la réalité de ma cuisine. Je me tourne vers le vaisselier et ouvre un tiroir pour y prendre une petite cuillère. Je me redresse, ramène mes cheveux vers l'arrière avant de saisir mon bol et vais me poster à nouveau face à la fenêtre. Soudain, un mouvement, puis une apparition me cloue sur place.

De surprise, je lâche mon bol qui se fracasse sur le carrelage.

Au beau milieu du jardin, il y a une femme toute nue qui danse dans mon jardin. Elle a une couronne de fleurs sur la tête. Elle tourne sur elle-même sans s'arrêter, les bras écartés comme un enfant faisant l'avion et rit en silence. Malgré ses rondeurs, elle ondule et ses gestes sont cohérents dans ce ballet improvisé. Cela aurait pu paraître joli. C'est si stupéfiant que je n'arrive pas à décrocher mon regard de cette vision. La créature a la peau si blanche qu'elle paraît presque transparente sous le clair de lune. Pourtant la vision n'est pas le fruit de mon imagination. Elle est bien réelle.

Même si son visage s'est totalement métamorphosé, je l'ai reconnue. C'est bien elle. La boulangère !

Qu'a-t-elle ? Est-elle folle ? Ou possédée ?

Je suis effrayée et je ne sais pas quoi faire. Je fonce dans notre chambre, réveille mon mari, qui a le sommeil lourd, mais pour une fois se lève vite et lui indique de me suivre en silence. Il bougonne quelque chose et obtempère. Une fois dans la cuisine, le doigt sur les lèvres, je fais un signe de tête en direction de la fenêtre. Il tourne le regard et se met à observer la scène qui se déroule à travers la vitre.

Pendant qu'il regarde le drôle de spectacle, je vois son visage blêmir de seconde en seconde et sa mâchoire se crisper. Au bout d'un moment qui me parait une éternité, il reprend un peu de couleur et vraisemblablement, il a aussi pris une décision. En tee-shirt et caleçon, il se dirige vers la porte donnant sur le jardin et sort dans la nuit. Restée devant la fenêtre, je le vois s'approcher de la danseuse nue qui s'est instantanément figée à son arrivée. Elle jette des regards apeurés tout autour d'elle comme un animal pris au piège.

Soudain, elle fait volte-face et s'enfuit en courant comme une folle. Malgré sa forte corpulence, elle court vite et me surprend encore en sautant par-dessus la petite haie. Puis elle file en direction du bois et disparaît.

Mon mari est resté au beau milieu du jardin, les bras croisés et l'air perplexe. Il doit être aussi surpris que moi, sinon plus. Une bonne dizaine de minutes s'écoule avant qu'il n'entre. Nul ne pipe mot. Ce que nous venons de voir nous laisse sans voix. On en parlera certainement demain, d'ici là on y verra peut-être un peu plus clair. En attendant, Patrick me prend par la main et m'entraîne dans notre chambre. Secouée par toutes ces émotions, j'ai oublié le bol brisé au sol et le lait répandu sur le carrelage. On se remet au lit et mon mari se rendort aussitôt. Quant à moi, impossible de fermer l'œil et je resterai à ruminer jusqu'à l'aube, avant de tomber d'épuisement.

Le lendemain, c'est lundi et jour férié, mon mari et moi nous réveillons tard. Une fois n'est pas coutume. Après un solide petit-déjeuner, nous nous installons dans le jardin et abordons enfin le sujet de cette nuit. Pour Patrick, Marie n'a rien fait d'autre que danser dans notre jardin. Rien de grave selon lui. Mais pour moi, c'est inadmissible. Elle est folle et peut-être dangereuse. Nous devons penser aux enfants.

Nous arrivons à nous mettre d'accord sur au moins un point. La femme a un problème et il faut agir. Patrick s'en chargera.

Alors que les enfants arrivent, nous convenons tous deux d'en reparler plus tard et allons les accueillir. Ils ont beaucoup de choses à nous raconter. Mon mari allume le barbecue et nous voilà bientôt tous occupés par les préparatifs. Il fait beau et les enfants sont ravis de profiter encore de cet après-midi avec leur père. Après le repas, nous irons faire une balade en famille pour digérer.

Il est plus de seize heures quand nous regagnons enfin la maison. Nous avons passé un très joyeux moment et sommes épuisés mais heureux.

Mais alors que nous franchissons le portail, quelle n'est pas notre surprise. Devant notre porte d'entrée se trouve un bouquet de roses. Mon mari et moi nous regardons sans mot dire. On ne veut pas effrayer les enfants. J'appose un sourire forcé sur mon visage, avance d'un air naturel jusqu'à l'entrée et m'empare du bouquet. Je suis certaine que c'est Marie qui est encore venue traîner chez nous. Mais pour quoi faire ? Elle prépare un mauvais coup. J'en mettrai ma main à couper.

Patrick lui, toujours plus indulgent et raisonné que moi, dira qu'il ne faut pas accuser les gens sans preuve. Que ce n'est qu'une gentillesse et une façon de s'excuser pour elle.

Nous pénétrons dans la maison et commençons à préparer notre soirée. Les enfants vont prendre leur bain pendant que je prépare leurs vêtements pour l'école du lendemain. Une fois les pyjamas enfilés, les devoirs avec Patrick terminés pendant que je prépare une salade et des steaks hachés, nous dînons. Peu après, les enfants au lit, nous nous installons enfin dans notre propre chambre pour regarder la télé au lit. Pendant que je me badigeonne de crème de nuit devant mon miroir, je ne peux m'empêcher d'aborder le sujet des fleurs. Et je m'emporte malgré moi.

— Et d'ailleurs, l'accuser de quoi, me rétorque mon mari ? Après tout, ce ne sont que des fleurs !

— Tu plaisantes ou quoi ? C'est plutôt une sorte d'offrande ou un rituel satanique ! Elle nous en veut de l'avoir vue hier soir !

— Mais non chérie, tu vois toujours le mal partout !

— Oui ? Et bien en attendant tu devrais aller lui parler toi ! Elle t'écoutera peut-être. En tant que docteur tu as une certaine autorité sur tes patients ! Ils t'écoutent toujours.

— Justement, elle n'est pas ma patiente ! Elle n'est jamais venue me voir en deux ans. Elle est solide comme un roc cette femme ! Ou peut-être qu'elle a des pouvoirs surnaturels ?

— Arrête de me faire flipper Patrick ! Ce n'est pas sympa de ta part.

— Je plaisante chérie !

— Moi ça ne me fait pas du tout rire !

— Bon. Alors promis, demain matin je passerai lui parler en déposant les enfants. Ça leur fera plaisir. Mon premier rendez-vous n'est qu'à dix heures. J'ai un peu de temps.

— C'est vrai ? Tu les amènes ? C'est trop chou ! Comme ça, je me mettrai au boulot un peu plus tôt. Merci mon chéri !

— De rien, ma p'tite femme !

Il dépose un baiser sur mes lèvres pour signer la fin de notre petite chamaillerie quand nous sommes interrompus par des rires étouffés.

— Ouh les amoureux !

— Les enfants ! retournez immédiatement dans vos chambres !

D'autres ricanements et nos enfants qui, jusque-là, se sont tenus tranquilles derrière la porte de notre chambre font irruption en sautant sur le lit. Ils sont excités comme des puces. Cela va être difficile de les faire dormir. Qui plus est, nous allons encore rater le début de notre film. Comme d'habitude. Et Patrick qui ne m'aide pas avec les chatouilles qu'il distribue à qui mieux mieux. Je baisse les bras. La bataille n'est pas équilibrée... Cette nuit, nous dormirons tous ensemble.

Les deux jours suivants, j'évite scrupuleusement la boulangerie, ne sachant quelle attitude adopter avec Marie, après la drôle de scène à laquelle mon mari et moi avons assisté. Je suis d'autant plus gênée que Patrick n'a pas réussi à lui parler depuis ce fameux soir. Le lendemain, à son arrivée, le commerce étant plein, impossible de lui parler seul à seule. Pour ne pas paraître bête, il a pris des pains au chocolat pour sa secrétaire et lui. Et hier, il n'y est pas passé ayant eu un défilé de petites blessures, de patients et autres bobos ou rhume des foins.

Depuis le cabinet n'a pas désempli et aller voir Marie est le cadet des soucis de mon mari. Nous sommes maintenant mercredi et je n'ai plus le choix. Il faut que je me ravitaille en biscuits, pain à griller et viennoiseries pour les enfants.

Je prends mon courage à deux mains et à me rend à la boulangerie.

Quand j'entre dans la boutique, il n'y a personne. Marie est de dos en train de ranger ses étals. Quand elle se retourne, elle n'a aucun geste qui aurait ressemblé de près ou de loin à de la gêne. Elle est comme à l'accoutumée, distante et pas souriante. Mais je ne ressens à aucun moment de sentiment de rancœur ni d'hostilité à mon égard. Elle me sert, me rend ma monnaie et retourne à ses occupations comme si de rien. C'est vraiment une drôle de situation. Mais je ne vais pas m'en plaindre et encore moins, demander une explication. Bien au contraire, je quitte vite l'endroit avec la sensation rassurante d'avoir évité une dispute. Je n'aime pas me fâcher avec les gens et les situations conflictuelles me mettent mal à l'aise. Mais une fois au volant de ma voiture, je me dis quand même que tout ça a été vraiment étrange. Gagnée par un fou rire j'éclate de rire, seule au volant de ma voiture.

Je revois la Marie à poil en train de danser dans mon jardin au clair de lune. Même mon mari ne l'aurait pas cru s'il ne l'avait vu de ses propres yeux ! Et voilà cette même illuminée me servant aujourd'hui mon pain, calme comme un rocher au milieu de l'océan.

Qui l'eût cru ?

Une fois à la maison et mes achats rangés dans les placards, je gagne mon atelier et me mets au travail. Il faut que j'avance. La petite coupure improvisée de ce week-end, bien qu'appréciée, m'a un peu perturbé dans mon timing. Il me faut rattraper ces quelques heures perdues le plus vite possible. Allez, au boulot !

3

Les jours passent et j'ai quasiment tout fini. Pourtant je ne suis pas satisfaite. Plus que quatre jours. Ensuite, une entreprise viendra récupérer les prototypes que j'ai confectionnés pour les livrer à la maison mère. Puis mon travail sera soumis à un jury pour acceptation ou pas. Tout est prêt pour emballage, mais je suis stressée et vérifie encore et encore les lots et étiquettes apposées sur les housses de protection.

Le lendemain et le surlendemain, je reste enfermée dans mon atelier, refusant de manger en famille, sous prétexte que je n'ai pas faim. Je suis obnubilée par mes finitions. Patrick gère les enfants de son mieux. Je ne me pose d'ailleurs même pas la question à ce moment précis. Et ne saurais d'ailleurs jamais comment il a fait pour s'organiser entre le cabinet et les petits. Mais lorsque la veille du jour J il viendra m'apporter un plateau dîne, aucune chance qu'il ne lise pas dans mes yeux toute la gratitude et l'amour que je ressens pour lui.

Il est plus de vingt heures. Je lui promets de ne pas travailler trop tard. Promesse non tenue car il est près de minuit quand je me glisse dans notre lit. Le lendemain c'est pareil.

Enfin, c'est le jour J. Je n'ai pas fermé l'œil de la nuit et quand les enfants se réveillent, c'est tel un somnambule que j'accomplis les tâches quotidiennes et les accompagne jusque devant l'école. Je n'irai pas à la boulangerie aujourd'hui. Je dois vite rentrer.

De retour à la maison, une tasse de café à la main, je suis sur le point de retourner à l'atelier vérifier pour la millième fois mes paquetages, quand un bruit de moteur me parvient. Un camion sérigraphié au nom d'un transporteur connu s'engage dans mon allée. Deux types en bleu de travail en descendent et après de brèves présentations, ils se mettent au travail. À dix heures et demie, ils ont terminé et après avoir bu un soda, ils me remercient chaleureusement pour l'accueil et les club-sandwichs que je leur ai préparés pour leur retour et repartent pour Paris.

Comme nous sommes jeudi et que les enfants ne rentreront pas avant la fin d'après-midi, je décide d'aller me recoucher. J'ai bien mérité une petite sieste après la mauvaise nuit que j'ai passé.

Ce soir-là et le lendemain, je vis comme à travers un épais brouillard. Je ne comprends rien à ce que les enfants et mon mari me racontent, faute de concentration, et je leur fais répéter plusieurs fois les mêmes choses. J'agace tout le monde et moi de même.

Le samedi, les enfants sont invités chez leurs copains Jules et Enzo. Ce sont les jumeaux de nos plus proches voisins.

Leur maman, Delphine est une jolie rouquine pleine d'énergie et d'humour et nous, comme nos enfants, nous entendons bien. Elle habite à une dizaine de minutes de chez moi. Son mari travaille dans les affaires. Il est souvent absent pour cause de voyage. Ils ont une piscine et Delphine invite régulièrement les enfants du village pour leur en faire profiter.

Je décide de me défouler en faisant le ménage pour me sortir de ma léthargie. Ma maison en a bien besoin.

Je nettoie, récure, frotte jusqu'à m'écrouler d'épuisement. Ensuite, après une douche brûlante, je me prépare pour aller récupérer mes deux terreurs.

Delphine m'accueille très gentiment comme à l'accoutumée. Ce jour, elle porte une robe rouge vif avec des bracelets fantaisie et des ballerines en velours rouge. Elle insiste pour que nous buvions une coupe ou deux de champagne. J'accepte et j'en bois deux et elle, trois. Elle est rayonnante et je suis toujours surprise de la voir pimpante, comme si elle attendait la venue d'un personnage important. À chacune de mes visites, elle arbore une tenue élégante, de beaux bijoux et une coiffure appliquée. De quoi me donner des complexes. Delphine détonne dans cette campagne où presque rien ne se passe, mais elle ne semble pas s'en apercevoir. Et si tel est le cas, elle s'en fout et a bien raison. Elle est généreuse et solaire. Je l'apprécie beaucoup.

La semaine prochaine, ce sera à mon tour de garder ses enfants pendant qu'elle se rendra en ville visiter sa maman à la maison de retraite.

De retour chez moi, je m'occupe de Juliette et Timéo, les douche pour enlever l'odeur de chlore de la piscine, leur prépare une pizza, vite avalée et les mets au lit. Ensuite, je vais me coucher. Je suis épuisée par cette journée, les deux coupes de champagne bues chez ma voisine, mais aussi par ces dernières semaines durant lesquelles j'ai accumulé tension et fatigue.

Je dois me reposer. Les dés sont jetés. Tout se jouera dans les prochains jours. Je ne peux rien faire d'autre qu'attendre le verdict et je prie de tout mon cœur pour qu'il me soit favorable.

Je suis allongée dans le noir depuis une demi-heure mais le sommeil se refuse à moi. Je sens que ce soir je ne parviendrai pas à fermer l'œil. Patrick n'est pas encore rentré. Le réveil sur ma table de chevet affiche 21 h 45. Je me lève du lit et retourne dans le salon. Je m'assieds sur le canapé les jambes repliées sous moi et m'enroule dans un plaid. J'allume la télévision et fais défiler les chaînes jusqu'à tomber sur un épisode des Esprits criminels. Ça a déjà commencé mais tant pis j'arriverai néanmoins à comprendre et suivre.

L'histoire est prenante. Il s'agit d'une enquête sur un homme ayant des vies cachées. L'acteur est très bel homme mais son rôle est machiavélique. Il est polygame et a parfaitement bien séquencé ses vies. Mais un grain de sable est venu dérégler sa tranquille organisation, dans laquelle chaque famille ignore l'existence des autres. À partir de là, tout bascule et l'homme devient fou. Il règle tout problème en éliminant la cause ou l'auteur. Il est sans pitié.

L'épisode est palpitant et génial comme toujours. J'adore l'humour de Pénélope Garcia, ses tenues colorées et excentriques, malgré la gravité des faits. L'agent Morgane avec son corps de rêve me fait fondre. Leur chef, Hochner, est charmant et le jeune Reese m'éblouit par son intelligence.

Je suis complètement dedans, quand un grand bruit me fait sursauter et me glace le sang. Cela vient de l'arrière de la maison, côté jardin. Je me précipite autant que mes jambes tremblantes me le permettent jusqu'à la porte de derrière. J'avance jusqu'à l'entrée et saisis la batte de base-ball que mon mari laisse dans le porte-parapluie au cas où. Je transpire à grosses gouttes tant je suis terrorisée.

Je n'ai jamais eu aussi peur de toute ma vie. Et pour ne rien arranger, je suis seule avec les enfants dormant à côté. D'ailleurs, fort heureusement ils ne se sont pas réveillés. Pourtant il y a eu un tel fracas ! Qu'est-ce que cela peut bien être ?

J'ai les mains moites et la sueur perle sous ma frange.

Je tourne la poignée et entrouvre la porte. Je sors à peine la tête pour tenter de voir à l'extérieur. Mais il fait trop noir. En plus, l'ampoule du perron est grillée depuis une semaine.

Je maudis intérieurement Patrick parce qu'il a promis de s'occuper de ça il y a des jours, mais il n'a rien fait !

J'ai beau tendre le cou à m'en rompre les cervicales, je ne vois rien et ne veux surtout pas risquer un pied dehors. Plus loin, il y a le bois et avec le feuilleton que je viens de voir, je m'imagine en voir surgir un tueur en série qui me zigouillerait pour de bon.

Je referme la porte du jardin à double tour et suis sur le point de retourner dans le salon quand je vois la poignée de celle de l'entrée bouger. Il y a quelqu'un derrière, je vois son ombre.

Complètement affolée, je me précipite vers mon téléphone portable, que j'ai laissé peu avant sur la table basse et compose le numéro de la gendarmerie. La porte émet un grincement et s'ouvre lentement. Le téléphone collé à l'oreille et les yeux écarquillés je n'entends plus rien. L'opératrice me parle mais je suis statufiée par la peur et ne réponds pas.

— Allô ? Allô ?

La porte s'ouvre et je hurle comme une malade, terrorisée.

— Mais enfin chérie, qu'est-ce qui te prend ? Tu es folle ou quoi ? Tu veux réveiller tout le village ou quoi ?

Je cesse instantanément de crier. Devant la porte, maintenant grande ouverte, se tient un Patrick stupéfait. Avec sa mallette de docteur sous le bras et une boîte en carton dans l'autre main. Il me regarde comme si je venais de débarquer d'une autre planète. Dans mon dos, je sens un mouvement puis entends des sanglots. Je cligne des yeux comme tout juste tirée d'un mauvais rêve et reviens à la réalité. Je pivote d'un bloc et me retrouve devant mes petits. Mince, il ne manquait plus que ça ! J'ai réveillé les ai réveillés avec mes cris. Main dans la main, ils pleurent en nous fixant tour à tour. Timéo vaillant, tente de retenir ses larmes, mais Juliette est anéantie. Elle tient sa poupée Lizzie serrée contre elle et son visage est tout rouge.

Je cours m'agenouiller devant mes enfants et les prends dans mes bras, essayant de les rassurer à force de caresses, de baisers et de mots doux.

Mon mari a repoussé le battant derrière lui et posé son chargement sur le guéridon. Il ôte sa veste et sa cravate sans un mot. Confuse, je raccompagne mon fils et ma fille maintenant calmés dans leur chambre.

Une demi-heure après, je suis de retour dans le salon où Patrick termine de converser avec quelqu'un au téléphone.

Il raccroche et vient s'asseoir à côté de moi sur le divan.

— Mais qu'est-ce qui t'a pris ? Que s'est-il passé pour que tu sois dans cet état ? Je viens de raccrocher avec la police qui me dit que tu les as appelés et qu'ensuite ils ont entendu des cris. Ils étaient déjà en route ! Je les ai rassurés en leur disant à l'opératrice de tout annuler et que tout allait bien.

— C'est vite dit ! Tout n'allait pas bien justement… Rien ne va bien Patrick ! J'ai eu la peur de ma vie !

— Mais pourquoi ? Je ne comprends pas. Qu'est-ce qui t'a pris de hurler comme ça en me voyant ?

— Mais ce n'était pas toi Patrick ! Je veux dire si... Enfin, non... Écoute, avant que tu n'arrives il y a eu un terrible bruit dans le jardin. Je suis allée jeter un coup d'œil mais n'ai rien vu, ni personne.

— Peut-être que c'est ton imagination. La télé était allumée quand je suis arrivé tout à l'heure. Peut-être que tu t'es assoupie un peu et tu auras fait un cauchemar ?

— Non ! Je ne me suis pas assoupie. Il y avait quelqu'un derrière la maison ! Tu ne comprends rien ou quoi ? Je regardais un film et suis certaine de ne pas m'être endormie !

— ...

— C'est pourquoi j'ai eu si peur quand tu es arrivé...

— Oui, d'accord. Supposons que tu as raison, il n'y a plus personne maintenant et je suis là, ma chérie. Allez, calme-toi, ma belle.

— J'ai eu si peur, Patrick ! Pour les enfants, pas pour moi !

— Chut ! Allez, allez. C'est fini, ma chérie... Je suis là.

Il me prend dans ses bras et me chuchote des mots tendres. Je suis si épuisée que mes nerfs lâchent. Je me mets à pleurer comme une petite fille. Mon mari m'embrasse en me caressant les cheveux pendant un long moment. Ses marques de tendresse parviennent m'apaisent peu à peu et je vais finalement me retourne me coucher plus rassurée.

Tout le temps qu'a duré l'incident, ni lui ni moi n'avons remarqué que dehors, quelqu'un nous a observés. Une silhouette s'est tenue immobile derrière les buissons à l'orée du bois le regard figé sur la baie vitrée de la salle à manger.

Une fois toutes les lumières éteintes et la maison redevenue silencieuse, elle s'éloigne en dansant et s'enfonce plus profondément entre les arbres.

Quelques heures après cette nuit éprouvante, je me réveille avec une horrible migraine. Je ne dois pas tomber malade. Ce n'est vraiment pas le moment. Je me rends dans la cuisine, avale un comprimé de paracétamol avec un verre d'eau et mets la machine à café en route. Ensuite, je vais réveiller les enfants afin qu'ils se préparent pour l'école. Timéo n'a pas envie ce matin. Il s'enroule dans ses draps et grogne en prétextant un mal de ventre pour ne pas y aller. Mais ça ne marche pas longtemps parce qu'il est très mauvais comédien. Après avoir bataillé pour qu'il se brosse les dents et s'habille, il descend. Pendant qu'il prépare ses céréales et son petit-déjeuner, je m'occupe de Juliette. La pauvre chérie est tout endormie et je m'en veux car c'est de ma faute si leur nuit a été écourtée.

Enfin prêts, je les accompagne jusque devant l'école et leur promets une bonne surprise en fin de semaine. Il faudra que je trouve quoi d'ici là.

Je reviens à la maison et fais tout pour occuper cette journée comme je peux. Je sens qu'elle va être très longue. Ne sachant par quel bout commencer, je tourne en rond pendant quelques minutes avant de me lancer.

Je commence par ranger les chambres puis lance une lessive. Puis je m'attaque aux armoires et emporte tous les effets d'hiver dans le garage. Prise par une frénésie de rangement incontrôlable, je fais mille et une choses sans m'en rendre compte.

Lorsque le bus scolaire dépose les enfants devant la maison, j'ai abattu une tonne de travail. Les heures ont défilé sans que je m'en rende compte tant j'ai été absorbée. Ces derniers mois, j'ai tellement été prise par mon projet professionnel que j'ai négligé certaines choses.

Les enfants entrent en fanfare, comme à leur habitude et me bombardent avec leurs histoires de la journée. Des histoires d'enfants, des choses non sérieuses pour un adulte mais dont leur vie dépend. *Une question de vie ou de mort*, comme ils disent. Où est-ce qu'ils ont entendu cette expression pour me la jeter à la figure à chaque fois qu'ils veulent me persuader qu'ils sont grands ?

Je suis heureuse de laisser de côté mes rangements, pour l'heure. Il faut maintenant s'atteler au rituel du soir. Devoirs-douche-dîner et au lit.

4

Le jour d'après, c'est au tour de Juliette de faire son cinéma. Décidément, ces enfants ne sont jamais à court d'imagination quand il s'agit de trouver des prétextes pour ne pas aller en classe. Je ne me souviens pas avoir fait de telle lorsque j'avais leur âge. Enfin, pas pour cela du moins. Moi enfant, j'ai toujours aimé aller à l'école. En particulier le cours de sport. Enfin.

Quand j'entre dans sa chambre, ma fille de 5 ans est au bord de l'agonie. On aurait dit qu'il ne lui reste plus que quelques heures à vivre. Tel un nomade dans le désert apercevant une oasis, elle se jette dans mes bras avec des larmes de crocodile.

— Mais que se passe-t-il ma puce ?

Elle sanglote comme si le seul fait de me parler lui était intolérable. Dans un ultime effort avant de rendre l'âme, elle me dit ne pas être en mesure de se rendre à l'école. Compatissante à sa douleur, je lui demande la cause de son mal, mais elle bégaie et ne sais pas quoi me répondre.

Elle patauge, me parle de l'estomac, de la rate puis du pancréas…

Tiens cela ressemble étrangement aux mots de la leçon sur le corps humain que son père lui a faite l'autre jour.

Elle s'embrouille. Puis elle décrète subitement qu'elle refuse tout net d'aller à l'école. Voilà… Déception et désillusion d'une mère qui croyait en l'avenir de grande actrice de sa fille. Adieu la Palme d'Or, adieu l'Oscar.

Et la vérité sortant de la bouche de l'enfant, elle arrive.

Ma fille m'avoue qu'elle s'est encore disputée avec sa copine Kloé. La raison du litige, sa copine l'a poussée et lui a même tiré la langue. Incident diplomatique inadmissible et impardonnable. Juliette ne veut plus jamais la revoir. De toute sa vie entière, a-t-elle ajouté. Je me mords la lèvre pour ne pas rire et la vexer plus et tente de la raisonner. Rien à faire elle reste sur sa position, elle a mal au ventre et à la gorge maintenant. Je ne vois pas du tout le rapport, mais bref.

Je la menace de lui mettre un suppositoire, chose qu'elle abhorre et tout à coup elle m'explique ce qui a poussé sa copine à agir ainsi : elle n'a pas voulu jouer avec Kloé à la récré du matin, lui préférant une certaine Léa. Suite à quoi Kloé restée seule l'a ignorée à la récré de l'après-midi, ayant trouvé d'autres copines.

Arroseur arrosé.

J'explique à ma fille que quand on a une copine on ne la laisse pas tomber pour une autre et qu'elles auraient pu jouer toutes ensemble. Elle n'a pas été gentille avec Kloé mais tout le monde peut faire des erreurs. Le plus important étant de pardonner parce qu'on est amies. Elle comprend ma démonstration et reconnaît que les torts sont partagés. Tout à coup, elle va mieux et accepte d'aller à l'école. Oublié son problème de rate, d'estomac, de pancréas et je ne sais quoi encore… Tout s'est remis en place comme par enchantement. Nous avons échappé à l'opération.

Une fois devant l'école l'affaire est loin derrière et les deux fillettes main dans la main entrent dans la cour.

Sur le chemin du retour, je m'arrête à la boulangerie où Marie, égale à elle-même, ne me salue pas lorsque j'entre. Je fais mes achats et repars avec mes sacs. Pas d'aurevoir non plus. Il n'est que neuf heures du matin et j'ai déjà regardé mon portable au moins dix fois. Il faut que j'arrête. Les bureaux à Paris viennent sans doute à peine d'ouvrir et la société m'a informée qu'elle me donnerait une réponse sous huit jours. Sans plus de précision. Patience, patience.

Le septième jour est un jeudi. Vers midi, toujours rien. Je commence à tourner dans la maison, tel un lion en cage. Mon mari est au cabinet et les enfants ne rentreront pas avant longtemps. Que vais-je faire pour occuper cette journée ? Je tourne et vire dans la maison, traîne un peu dans mon atelier en rangeant les vestiges de ces deux mois de dur labeur puis retourne dans la cuisine. Je n'ai pas faim. J'ai le ventre noué.

Peut-être que mes prototypes ne leur ont pas plu ? Peut-être qu'ils ont trouvé ça trop plan-plan ? Ils ont peut-être choisi un autre projet et n'auront même pas eu la délicatesse de m'aviser… Trop de questions et de *peut-être* qui se bousculent dans ma tête. Je suis rongée par l'attente et les doutes.

Non, je ne vais pas recommencer avec ça. Mon mari m'a dit de positiver. Mais c'est difficile. Je n'en peux plus, je vais exploser si je ne fais rien.

Sur un coup de tête, je décide d'aller courir pour me changer les idées. En plus, j'aurais certainement un peu plus d'appétit après avoir dépensé de l'énergie.

Chaussée et équipée je me lance, mon téléphone cellulaire dans une poche à fermeture éclair. Naturellement, mes foulées me guident vers le petit bois. Je n'ai pas fait attention. C'est une fois devant la cabane que je remarque l'endroit où mes pas m'ont mené. J'ai été si absorbée dans mes pensées que je n'ai pas fait attention. Question d'habitude… Je m'arrête à bout de souffle devant la construction de fortune et hésite un instant.

J'ai eu si peur la dernière fois que je suis venue ici ! En plus d'une certaine nuit qui me revient en mémoire. Celle où je venais de regarder un film à suspense.

Quelque chose me dit que je devrais rebrousser chemin.

Mais aujourd'hui, tout est différent et à cet instant précis je n'ai pas peur. Il fait jour, grand soleil et je ne sens aucun danger immédiat.

J'approche du perron et aperçois un nouveau bouquet de fleurs au sol. Ce sont des roses rouges. Vraiment bizarre cette histoire.

Mon instinct me somme une nouvelle fois de quitter ce lieu au plus vite, mais je n'y arrive pas. Je monte les trois marches et à hauteur de la porte, je m'empare du bouquet pour le humer. Elles sont fraîches, c'est indéniable. Je suis sûre qu'on vient à peine de les déposer. Les fleurs à la main, je frappe à la porte. Rien. Pas un bruit. Je toque de nouveau, un peu plus fort pour être sûre d'être entendue. Toujours pas de réponse. Je tourne machinalement et sans trop y croire la poignée et surprise je sens la porte s'entre-ouvrir. Elle n'est pas verrouillée cette fois. Bizarre.

Je pousse le battant et l'ouvre en grand. Il fait assez sombre à l'intérieur.

J'avance d'un pas et attends que quelque chose se passe, en attendant que mes yeux s'habituent à l'obscurité. Rien. Aucun chien méchant ne me saute à la gorge et nul paysan fâché ne me tire dessus.

Peu à peu, mes yeux s'habituent et je distingue les détails des quelques meubles qui se trouvent dans la pièce. Un pas. Il n'y a qu'une vieille armoire, une table et deux chaises. Au fond de cette pièce, il y a une porte. Deux ou trois pas. Sans bruit, je vais l'ouvrir. Collé au mur, il y a un lit d'une place est et en face il y a un petit lavabo et un miroir recouvert d'une épaisse couche de poussière. Sur le lit, chose surprenante dans cet endroit désolé, se trouve un drap tout propre avec des petits motifs et un oreiller assorti. Je reviens dans la première pièce où je constate que la table est également propre, bien qu'un peu abîmée par le temps.

Je me rends compte que je tiens toujours le bouquet de fleurs. Je le pose sur la table, ne voyant aucun vase à portée de main dans lequel l'y mettre.

Je ressors de la maisonnette et referme la porte. Quelqu'un vit ici ou du moins y vient de temps en temps. Je réprime un frisson et repars en courant.

Au moment où j'arrive devant la haie qui délimite notre jardin du bois, mon portable se met à sonner. Je ne connais pas le numéro qui s'affiche. Je décroche.

— Bonjour. Je me présente David Durand de l'agence Sokkom-H. Êtes-vous madame Silva ?

— Oui. Bonjour.

— Votre collection a beaucoup plu à notre comité et votre dossier a donc été retenu. Pourriez-vous venir à Paris la semaine prochaine afin que nous nous rencontrions et puissions discuter ensemble de notre future collaboration ?

— Bien sûr ! Oui avec plaisir ! Mon Dieu merci, excusez-moi ! Je suis tellement émue que je ne sais que dire…

— Je vous en prie. N'hésitez pas à nous recontacter si vous avez des questions, madame Silva.

— Merci monsieur ! Merci mille fois… vraiment !
— Alors à bientôt à Paris ?
— Oui. À très bientôt à Paris ! Au revoir et merci encore.
— Aurevoir et bonne journée.
L'homme rit puis raccroche.

Je regarde mon portable bêtement comme s'il allait se mettre à chanter « Oh happy day ! » Mais non rien. Je le remets dans ma poche et tire de l'autre les clés que je glisse dans la serrure. Mes mains tremblent et avec mon footing elles sont moites de transpiration. Je suis étonnamment calme en entrant dans la maison, trop calme. Mais une fois la porte fermée, je pousse un cri de victoire et lâche tout dans une parodie de rock roll mêlé de twist et de je ne sais quoi. Dix minutes de pure folie, jusqu'à ce que, épuisée, je me laisse tomber dans mon canapé. Je suis aux anges. J'ai réussi mon défi. Je vais entrer dans l'un des temples de la haute couture ! Moi Margot, petite étudiante à l'école de stylisme, qui, bien que douée, a tout bazardé par amour pour un petit étudiant en médecine fauché.

Aujourd'hui nous revoilà. L'étudiant fauché est devenu un docteur très respecté dans notre petite bourgade, après de bons états de service aux urgences de la capitale. Et moi Margot Silva, désormais maman de deux enfants adorables, en passe d'être à l'origine d'une collection dans une grande maison. Mon rêve !

J'appelle mon mari pour lui annoncer la bonne nouvelle. Il est heureux pour moi, mais un peu débordé et met rapidement fin à notre échange. Il me promet tout de même de fêter l'heureux événement comme il se doit très prochainement. Je raccroche et décide d'aller fouiller mon placard pour choisir les tenues de mon prochain voyage à Paris. Moins de vingt minutes se sont écoulées quand on sonne à la porte. Tiens, qui cela peut-il être ? Je n'attends personne.

— Un instant, j'arrive.

Je ne marche pas, je vole. Un rapide coup d'œil au miroir. La tête que j'ai ! Je suis un peu gênée car je n'ai même pas eu le temps de prendre une douche et de me changer après mon jogging. Tant pis. Mon visiteur devra faire avec.

Je suis encore dans l'euphorie de mon coup de fil, quand dans mon élan, j'ouvre la porte en grand et me fige. Je manque tomber à la renverse en me retrouvant nez à nez avec Marie. La femme se tient devant moi, bien droite et les mains sur les hanches. Elle n'est pas nue et c'est déjà ça. Mais sa carrure imposante m'intimide en plus du choc de la voir sur mon pas de porte. J'en perds mes moyens.

Et elle attaque la première sans me saluer et sans un sourire.

— Pourquoi vous êtes venue chez moi ?

— Pardon ? J'ai la bouche sèche.

— Vous êtes venue chez moi ! Vous êtes entrée dans ma maison !

Silence de ma part. je n'arrive pas à parler.

— Vous avez touché à mes affaires en plus !

Elle est furieuse. Son visage tout rouge et fripé l'est encore plus qu'à l'accoutumée. Ses cheveux sont tous ébouriffés.

Elle parle de la cabane. Aucun doute là-dessus. M'aurait-elle vue ?

— Excusez-moi Madame. Je suis désolée si je vous ai offensé. Je ne savais pas que cette cabane était à vous.

— C'est chez moi ! Vous n'aviez pas le droit d'entrer !

— Je sais mais j'avais frappé avant… et comme personne ne répondait…

— Ouais ? Ben, vous n'aviez pas le droit ! Écoutez-moi bien ma petite. Ne refaites plus jamais ça ! Ne rentrez plus jamais chez moi ou vous aurez des ennuis... Vous avez compris ?

Son ton est lourd de menaces même si, à aucun moment, elle n'a haussé la voix. Mais le ton est clair et ses yeux bleu-gris lancent des éclairs. Je n'avais jamais prêté attention à son regard. Et cette couleur qui semble me traverser de part en part. J'ai peur. Cette femme est capable du pire, je le sens.

— Oui madame. Je ne reviendrai plus vous embêter.

— Vous avez intérêt ma petite dame !

Sur ces paroles pleines de sous-entendus, la boulangère pivote et s'en va. Je la regarde s'éloigner jusqu'à ce qu'elle disparaisse au bout du chemin. Sa démarche est raide mais aurait presque pu être gracieuse si la femme n'avait été aussi robuste. Avec sa hauteur et sa masse, elle fait plus bûcheron canadien que rat d'opéra...

Dès cet instant, je décide de l'éviter et de me tenir le plus loin possible de sa cabane. Pour le pain et le reste, je n'ai pas d'autre choix que son unique boulangerie. Il faudra bien qu'elle me serve quand même. Sinon je m'organiserai différemment et me rendrai au centre commercial à 20 kilomètres de là.

Bien fait pour moi ! Je dois apprendre à m'occuper de mes oignons. J'éviterai d'être trop curieuse à l'avenir !

Forte de cette résolution je referme la porte et regagne ma chambre.

Pendant que je fouille dans mon tas de vêtements, je ne peux m'empêcher de penser à cette femme. Il y a trop de choses qui me titillent.

Pourquoi la propriétaire d'une boulangerie, qui plus est marche bien, même si mal aimable avec la clientèle, vit-elle dans une cabane ? Ça, je ne le comprends pas. En plus dans des conditions rudimentaires. Ce n'est pas normal.

En outre, à la boulangerie, Marie est toujours propre sur elle, même si elle n'est pas glamour. L'établissement lui-même est très bien tenu. Alors, pourquoi habiter dans un lieu aussi lugubre, étroit et avec le strict minimum ?

Pourquoi, le soir venu, se promène-t-elle nue comme un ver, avec des fleurs sur la tête ?

Et enfin, qui dépose ces fleurs devant sa porte ?

5

Ce même soir, mon mari me fait une belle surprise. Alors qu'il m'a affirmé ce matin être débordé et vouloir fêter ma bonne nouvelle plus tard, il s'est arrangé pour finir plus tôt. Il souhaite m'amener en ville. Les enfants resteront chez ma voisine Delphine. Il a tout organisé. Sa secrétaire a joint ma voisine la plus proche à la demande de mon mari et l'a mis dans la confidence. Quelle charmante attention ! Elle a aussitôt accepté. Son mari est encore en voyages d'affaires et ses jumeaux s'ennuient. Ce sera avec plaisir qu'elle gardera Juliette et Timéo jusqu'à demain.

Pauvre Delphine. Les quatre monstres, mes deux et les siens, vont encore la faire tourner en bourrique. Ses fils, si sages d'habitude, semblent se déchaîner dès que les miens arrivent. Ils n'écoutent plus leur mère et les règles de la maison sont vite oubliées. Pourtant, chez moi, ils sont sages comme des images. C'est à n'y rien comprendre pour Delphine. Mais ma voisine est si gentille et patiente qu'elle ne s'en plaint jamais. C'est de ma fille que je tiens tout cela. Elle m'a dit qu'aussitôt que j'ai le dos tourné, les jumeaux les entraînent dans des jeux plus ou moins dangereux. Effet de groupe ou mauvaise influence de mes enfants ? Timéo est dans son élément et s'éclate selon Juliette. Mais elle, elle n'aime pas ces jeux de garçons et préfère rester dans les jupons de Delphine. Cette dernière étant enchantée d'avoir la fille dont elle a toujours rêvé pour quelques heures. N'en ayant pas, elle reporte toute cette affection sur ma fille, quitte à trop la gâter. Elle cède à tous ses caprices et je soupçonne fortement Juliette d'en abuser parfois. Mais bon...

Il faudra que Delphine et moi nous penchions sur ce problème.

En attendant, ce soir c'est ma soirée. Je ne dois plus penser aux enfants. Seulement à la merveilleuse soirée qui m'attend. Je vais me faire belle pour l'occasion. Ce n'est pas tous les jours qu'on fête un tel événement.

En rangeant mes armoires, j'ai retrouvé une robe argentée à fines bretelles oubliée depuis une lointaine soirée. En l'essayant, je constate avec ravissement qu'elle me va encore très bien. La sédentarité m'a fait cadeau de quelques kilos et rondeurs bien placées que j'essaie de combattre avec le sport. Je suis ravie de constater devant mon miroir que les résultats commencent à se voir. Je me sens belle dans cette robe.

Je déniche dans un tiroir une pochette assortie aux escarpins que je projetai de chausser et le tour est joué. J'espère que mon mari appréciera. Cela fait si longtemps que nous n'avons pas fait de sortie en amoureux, rien que tous les deux, comme avant la naissance des petits. Pourquoi ? La faute au temps, à la routine et à la fatigue d'après boulot. Et ensuite, il y a eu notre aménagement dans ce village. Je repense au temps où nous étions de jeunes étudiants fauchés mais heureux, avec des rêves pleins les yeux. Nous étions si amoureux. Nous le sommes toujours. Mais nous ne prenons plus de moment pour nous. Le travail et les enfants, d'abord et toujours.

Mais ce soir, nous allons renverser la tendance ! Nous ne sommes ni grabataires, ni à l'article de la mort. Nous devons vivre et nous amuser tant qu'il est encore temps et ne pas nous éteindre comme ces couples qui peu à peu s'éloignent et se perdent. Pas tout de suite, pas déjà ! Hors de question ! Cette soirée sera inoubliable. Je jouerai le grand jeu et Patrick retombera sous le charme comme au premier jour…

Quand j'entre dans le salon, je découvre avec surprise qu'il n'y a pas que moi qui ai décidé de rallumer la flamme. Patrick est sur son trente-et-un ! Il a revêtu une chemise blanche que je ne lui ai jamais vue et un pantalon en lin couleur crème. Une élégante paire de mocassins en daim brun parfait sa tenue.

Je suis si heureuse et dans ses yeux je lis la même admiration de mon époux pour sa petite femme.

Peu après nous partons pour la grande ville. Ça fait longtemps.

Au restaurant où nous dînons, je lui fais part de la visite de la boulangère à la maison. Il fronce les sourcils, inquiet et tracassé par ce que je lui raconte. Je le rassure. Elle n'a fait que me menacer à demi-mot. Il me fait jurer de ne plus y remettre les pieds. Je promets.

Après le dessert, nous allons boire un verre sur une agréable terrasse de café, de la rue piétonne. Il y a de l'ambiance. Des danseurs brésiliens font une démonstration de capoeira au son de tambourins. Quels acrobates ! À chaque saut périlleux, tout le monde applaudit. C'est très bruyant mais si folklorique. Ils dansent avec une demoiselle puis sa copine puis le spectacle s'achève.

Les artistes de rue font la quête et après quelques applaudissements et remerciements, ils s'en vont.

Dans le carré, la foule de promeneurs devient de plus en plus dense. C'est un chassé-croisé de gens, ayant fini de dîner, qui flânent ou se rendent ailleurs, remplacés par d'autres qui arrivent. Tout me paraît beau. Les gens, les terrasses et les restaurants, l'ambiance et la musique.

Il y a des personnes de tous âges et de toutes nationalités. Ici, pas de classes sociales, pas de chef ou de sous-fifre. Tout le monde est réuni au même endroit pour passer un bon moment et c'est tout.

Assis en cercle en plein milieu d'une ruelle, un groupe de jeunes qui entoure un joueur de flûte tibétaine. Plus loin, trois rastas-man dansent au son d'une radio diffusant du Bob Marley. Ils rient, ils dansent et chopent au vol des passants qu'ils entraînent dans leur sillage. C'est bon enfant et nul ne s'en offusque. Même cette femme collet monté avec ses deux petits chiens qui jappent à qui mieux mieux. Elle rit et envoie des baisers alors qu'elle s'éloigne au grand type noir, tandis que celui-ci lui adresse le plus beau et rayonnant sourire que j'ai jamais vu. La vie est belle.

Je souris les yeux humides en les observant avant de suivre Patrick, entré dans un music-live bar. Un groupe composé d'un chanteur et deux filles ultra-sexy se déchaînent sur l'estrade pendant que des danseurs se déhanchent sur une piste de danse improvisée.

On nous installe sur une table haute juste devant. Nous sommes aux premières loges.

Le groupe est vraiment bon et les morceaux, connus pour la plupart, sont entraînants. Au bout d'un quart d'heure, je ne tiens plus et me lance. Je suis déchaînée. Madonna, Cindy Lauper et ensuite U2… Toute mon adolescence.

Je ne quitte plus la piste. Une fois ou deux, je vais blaguer Patrick et boire une gorgée de mon délicieux cocktail. Contrairement à moi, il n'aime pas danser. Mais je vois qu'il s'amuse de me voir m'éclater ainsi au milieu des autres danseurs. Parfois, je suis entraînée malgré moi dans des chorégraphies que je ne maîtrise pas. Mais ce n'est pas grave. J'essaie de suivre. Ce qui fait rire tout le monde.

Patrick me regarde avec des yeux pleins d'amour. Il est heureux de me voir ainsi. Il m'aime. Je l'aime.

Après deux bonnes heures de danse intense, je suis épuisée et je l'admets un peu éméchée. J'ai perdu le compte des verres que j'ai sifflé ce soir, en plus de la bonne bouteille de vin blanc qui a accompagné notre dîner. Patrick a arrêté l'alcool et s'est mis à l'eau gazeuse. Sage décision, c'est lui qui doit nous reconduire.

Il se fait tard. Il y a encore du monde dans les rues lorsque nous sortons du bar. Tout autour de nous, on rit on chante à tue-tête et on crie. Des couleurs partout. La chaleur de l'été. Tout est parfait. Mais il faut revenir à la réalité.

Pour nous, pas du tout habitués à veiller depuis notre aménagement à la campagne, c'est exceptionnel.

Il est une heure du matin. Nous avons passé une excellente soirée et il est temps de rentrer. Demain, il fera jour.

Alors que nous nous éloignons pour rejoindre l'emplacement où nous avons parqué la voiture, nous ne remarquons pas le couple assis sur une des nombreuses terrasses qui nous observe. L'homme d'un certain âge a reconnu en l'autre en blanc celui qui lui a succédé au cabinet. Il le trouve fort sympathique.

La femme assise à côté de lui, droite sur son siège, a des pensées plus sombres. Elle se dit que c'est cette femme qui est venue violer son intimité. Elle a le regard noir. Si ce n'était la présence de son ami, elle serait allée lui redire deux mots à cette bourgeoise. Elle ne l'aime pas. Elle ne l'aimera jamais. Pas comme ses deux petits qu'elle voit tous les jours dans la cour d'école et qui sont si mignons. Surtout la fillette, qui, elle le sait, s'appelle Juliette. Elle lui a même offert un moelleux au chocolat l'autre jour. La petite Juliette a été enchantée et lui a dit *merci madame.*

Heureusement, Patrick et moi ne nous sommes rendus compte de rien. Cette rencontre aurait gâché ma soirée. Nous sommes déjà loin lorsque le couple à son tour quitte la terrasse et prend la route.

La même route que nous à quelques minutes d'écart

6

Patrick Silva, qui restera à jamais le *nouveau docteur* pour les habitants, n'en mène pas large aujourd'hui. Depuis ce matin, son cabinet est pris d'assaut. Il découvre encore, même après deux ans, les joies et peines des médecins de campagne.

Parmi ses patients venant le consulter il y a ceux qui sont réellement malades, ou les malades imaginaires qui viennent juste passer le temps en se plaignant de bobos qui n'existent pas et enfin ceux venant raconter leur solitude.

Mais il voit parfois des personnes en grande détresse. Aujourd'hui, c'est une femme et son fils qui sont assis devant lui. Il s'agit de Josette et Pierre, atteint d'un retard mental. Pierre a dix ans dans sa tête et ses comportements, alors que son corps a grandi et atteint ses vingt-sept ans. C'est un enfant prisonnier dans un corps d'adulte. Ce matin, la maman a besoin d'aide et de conseils. Le docteur, seul repère masculin des parages que Pierre semble écouter, est son dernier espoir aujourd'hui. La femme commence à vieillir et s'épuise malgré tout l'amour qu'elle a pour ce fils qu'elle a eu sur le tard.

Ce qui préoccupe sa maman ce matin c'est le comportement troublé et très agité de Pierre depuis leur retour de vacances.

Certes, lors de celles-ci Pierre a fait une bêtise et sa mère l'a grondé. Mais alors qu'habituellement il s'en remet assez vite, n'étant pas rancunier pour un sou, cette fois il a du mal. Il refuse de s'alimenter et surtout de sortir de sa chambre. La mère ne sait plus quoi faire et culpabilise. Elle se dit que c'est de sa faute.

Le docteur, tant bien que mal parvient à lui remonter le moral et à calmer Patrick pour un temps. Il a longuement parlé avec Josette. Pierre est en traitement depuis de nombreuses années et ne pourra jamais l'arrêter. Nul n'est éternel et elle doit penser à l'avenir de son fils si elle devait disparaître. Il faudra envisager un placement en institut spécialisé dans les années à venir. Elle est frêle et Pierre devient de plus en plus costaud. Auparavant, il y a eu quelques épisodes violents, fort heureusement sans gravité. Mais il devient de plus en plus fort et elle n'est plus sûre de rien à présent.

Moi je les ai parfois croisés à la boulangerie-épicerie de Marie. Nous n'avons échangé que des sourires et quelques banalités. Mais le fils, avec ses grands yeux bleus et son sourire béat, est si attendrissant qu'on ne peut l'ignorer.

Quand il rentre ce soir-là, mon mari me fait part de la visite de Pierre et sa mère. Puis il me dit vouloir me raconter une anecdote. Celle des vacances de Josette et Pierre. Mais il me fait promettre deux choses. La première, de ne pas rire et la seconde, de n'en parler à personne. Je promets car sinon il ne dira rien et écoute attentivement. C'est une histoire drôle et à la fois triste qui est arrivée à Josette et son fils.

Josette, ayant regardé une émission vantant des maisons d'hôtes de charme, est tombée amoureuse de l'une d'elles. Elle se situe dans les Ardennes. Elle a contacté le propriétaire. Au téléphone le feeling est tout de suite passé entre les deux interlocuteurs et réservation a été prise. Josette a fait part à l'hôte de l'état mental de son fils, pour éviter tout malentendu. Chose que le propriétaire a très bien prise en lui révélant à son tour que sa propre sœur a une fille handicapée. Et pour finir, elle a eu le feu vert de son logeur, dénommé Daniel, pour amener le hamster dont Pierre ne se sépare jamais. Aucun problème pour Daniel. Chacun aura une chambre, il a toute la place qu'il faut. Jusque-là, tout va bien. De belles vacances en perspective pour la mère, le fils et Fanfan le hamster.

Trois semaines après, Josette et Pierre arrivent à bord de leur voiture qu'ils stationnent au fond du jardin. Ils ont réservé pour dix jours.

Pendant les cinq premiers jours, leur logeur ne les voit pas beaucoup, car la mère et le fils font de grandes balades à travers forêts et champs et ne rentrent que tard dans la soirée. En fin de séjour, la charmante Josette se propose pour la préparation du dîner chez Daniel pour les jours restants. Tout se passe pour le mieux et chaque soir, une fois le repas avalé, chacun se retire dans sa chambre.

Pierre se couche tôt, tandis que sa mère aime lire avant de s'endormir. Ils sont ravis de ses vacances en maison d'hôtes.

Le matin du neuvième jour et veille du départ de Josette et Pierre arrive.

Alors qu'ils se préparent pour aller acheter des souvenirs, ils croisent Daniel qui boit son café debout devant la grande entrée. Il leur dit qu'il attend une société spécialisée dans le débouchage des tuyaux. De l'eau sale et puante est remontée par les toilettes du rez-de-chaussée et une odeur désagréable se répand dans toute la maison. Daniel s'excuse du désagrément et leur assure que tout sera réglé à leur retour.

Josette s'en va en lui assurant que l'odeur ne les a pas du tout dérangés et informe Daniel qu'ils rentreront tard. C'est leur dernière soirée et ils dîneront dehors.

Quand ils reviennent, il est tard. La vieille femme se dit que leur hôte doit dormir car tout est éteint dans la maison. Ne voulant pas déranger, elle gare la voiture devant la maison au lieu de l'emplacement en gravier bruyant.

Ils ne le savent pas mais Daniel est réveillé et les attend dans le petit salon du bas. Ils ne le savent pas et quand ils s'engagent dans l'escalier menant aux chambres du haut, il sort de la pièce et s'approche d'eux. Il est pieds nus et n'a pas fait de bruit. Il n'a pas non plus allumé.

Josette sursaute et étouffe un cri, surprise par l'apparition de l'homme. Pierre hurle de terreur avant de monter en courant l'escalier menant à sa chambre. Sa mère fusille Daniel du regard puis suit son fils dans l'escalier.

Daniel se sent mal. Il aurait dû allumer les lumières, mais c'est ainsi qu'il aime écouter sa musique. Casque sur les oreilles et lumières éteintes.

Il monte au premier et reste devant la porte en attendant que le garçon se calme.

Josette se retourne vers lui les traits tirés.

— Mais enfin Daniel ! Qu'est-ce qui vous a pris de surgir ainsi du noir tel un diable de sa boîte ?

— Je vous attendais. J'avais à vous parler, Josette.

— Et ça ne pouvait pas attendre demain matin ?

— Non.

— Et pourquoi ?

— Parce qu'il s'est passé quelque chose.

— …

Le regard du propriétaire fait le tour de la pièce comme à la recherche de quelque chose. Il s'arrête sur la cage du hamster.

— Où est le hamster de votre fils ?

— Eh bien, je ne sais pas ! Maintenant que vous le dites…

Elle regarde vers la cage vide et autour. Puis elle se tourne vers son fils en plissant les yeux. Elle pose les deux mains de chaque côté du visage de son fils pour l'obliger à la regarder.

— Pierrot ?

— …

Il est tout penaud et ne répond pas.

— Pierrot où est Fanfan ?

Encore un silence dudit Pierrot qui regarde de tous les côtés sauf vers sa mère.

— C'est à toi que je m'adresse Pierrot ! Où est Fanfan ? Où est ton hamster ?

— …

Le garçon refuse de répondre. Elle s'adresse au propriétaire sans vraiment y croire.

— Daniel, vous ne seriez pas venu ici en notre absence ?

— Mais enfin Josette ! Non ! Je ne me serais jamais permis… En plus, vous avez vos clés de chambres et rien ne vous empêchait de fermer vos portes lorsque vous sortiez ! Je fais confiance à mes hôtes et j'en attends de même. C'est une question de principe. Sinon je ne me serai pas lancé dans ce métier.

— Oui, c'est exact. Enfin bref ! Je ne comprends vraiment pas ce qui se passe, reprend la femme après un long soupir.

Pierre est toujours muet et a un petit air penaud comme s'il cachait quelque chose. Josette ne sait plus quoi dire. Daniel se racle la gorge et rompt le silence d'un air gêné.

— Moi je vais vous dire ce qui s'est passé. La société qui est passée cet après-midi a mis près de deux heures à trouver d'où venait le problème et je vais vous montrer Josette. Suivez-moi.

Il fait volte-face et se dirige vers l'escalier, avec à sa suite la mère et son fils, qui pleure maintenant sans bruit.

Une fois au rez-de-chaussée, Daniel va prendre une poubelle sous l'évier et la pose sur la table. Une odeur pestilentielle s'en dégage quand il ouvre le sachet.

C'est infect et en moins d'une minute l'odeur se répand dans toute la pièce. En tendant le cou pour voir ce qui peut bien dégager cette puanteur, Josette a un haut-le-cœur.

La main devant la bouche, elle recule jusqu'à l'entrée de la cuisine.

Pierre a cessé de pleurer et se pince le nez en grimaçant. Il sourit d'un air niais et chantonne « ça pue, ça pue. ».

Josette se retourne d'un seul mouvement et le foudroie du regard. Elle a compris.

— Pierrot qu'est-ce qui est arrivé à Fanfan ? Cette fois, tu as intérêt à me dire la vérité, sinon je vais vraiment me fâcher !

La mère est furieuse et au bord de la crise de nerfs.

Se sentant acculé ledit Pierrot se décide à parler.

— Fanfan n'a pas été gentil ! Il a été méchant avec moi. Il m'a mordu ! Alors je l'ai jeté dans les w.c. et j'ai tiré la chasse d'eau. Méchant Fanfan !

— Mon Dieu !

Josette est atterrée. Elle ne sait plus quoi dire. Elle est choquée et honteuse de l'acte de son fils. Daniel compatit. Il a de la peine pour la pauvre femme et pitié de ce grand gaillard qui n'aura jamais de vie normale. Il s'éclipse discrètement de la cuisine avec le sac plastique qu'il va jeter dehors, puis il regagne la partie privée de sa maison. Cette journée a été très éprouvante. Il faut qu'il aille se coucher. Demain, tout sera oublié et tout ce petit monde se dira gentiment adieu autour d'une bonne tasse de café.

Mais rien ne s'est passé comme prévu.

Le lendemain matin lorsque Daniel s'est réveillé, la maison était plongée dans le silence malgré l'heure tardive. Il en fait le tour, mais n'a croisé personne. Il est monté au premier et a trouvé les chambres vides et parfaitement rangées. Plus de vêtements ni de valises dans aucune des deux chambres.

En entrant dans la cuisine, il a trouvé une enveloppe posée au milieu de la table. En l'ouvrant, il a découvert un billet de deux cents euros et un papier plié en deux sur lequel un seul mot inscrit en grosses lettres capitales. DÉSOLÉE.

Mais de Pierre et Josette, plus de trace…

… Et trois jours plus tard, les voilà assis devant le bureau de mon mari, racontant cette histoire.

Loin d'imaginer une telle chute, je reste tout d'abord sans réaction, indécise sur l'attitude à adopter. Je suis prise au dépourvu par le récit en plus d'être émue par ces vacances si brutalement gâchées. Puis, dans un second temps, je pense à ce pauvre hamster et imagine le visage toujours souriant de Pierre en train de chanter « ça pue ».

Un fou rire me gagne. Je ne peux plus me retenir et m'écroule de rire à m'en décrocher la mâchoire. C'est nerveux. Impossible de m'arrêter.

Patrick lutte pour ne pas céder mais en vain. Il rit de bon cœur et il nous faut bien une demi-heure pour nous calmer. J'ai mal au ventre d'avoir tant ri. Mais j'ai des remords à la pensée de Josette dont les journées ne doivent pas être toujours roses avec cet homme-enfant toujours à sa charge et je me calme.

Bien entendu que je n'en parlerai jamais à personne. C'est du domaine du secret médical pour mon mari. Josette s'est confiée à lui et pas à moi et je serai mal inspirée d'ébruiter quoi que ce soit.

Toutefois, je ne pourrai pas m'empêcher d'y repenser en les croisant à la boulangerie. L'image ne me quittera plus.

Pauvre animal qui, désormais au paradis des hamsters, n'a pas dû comprendre ce qui lui est arrivé.

7

Trois mois sont passés. C'est l'hiver et les nuits tombent tôt. Le vent est très froid aujourd'hui et on annonce de la neige en montagne. Je suis tout juste de retour d'un séjour d'une semaine à Paris, pour le travail. Le temps parisien, gris et maussade, n'est pas parvenu à plomber le moral des troupes. Je travaille avec une équipe professionnelle et dynamique avec laquelle je m'entends parfaitement bien. Je suis fière du travail que nous accomplissons. Nous avons finalisé le dernier projet en cours. Mes modèles ont été validés et les contrats signés. Notre prochaine étape sera la présentation officielle de la collection au gala annuel organisé par une association de grandes marques aussi célèbres les unes que les autres.

Chez moi, tout va bien. Bientôt Noël et les quinze jours de vacances traditionnelles pour les enfants. Patrick s'est organisé pour passer ces fêtes avec nous. Premières vacances en famille pour lui en perspective. Il a trouvé un collègue pour le remplacer au cabinet.

Nous prévoyons d'aller en Espagne, où les températures en décembre sont plus douces et clémentes que chez nous. C'est un patient de mon mari, monsieur Martinez, qui lui a soufflé l'idée. Il a même proposé de nous louer sa maison à Alicante. C'est une ville aux nombreux visages ayant gardé les traces des passages successifs des Maures et des chrétiens. Il y a de nombreux monastères et musées, mais aussi un port de plaisance et le fameux Barrio de Santa Cruz avec ses jolies maisons toutes blanches aux balcons garnis de géraniums flamboyants.

Monsieur Martinez est un gentil monsieur au fort accent espagnol, qu'il n'a jamais perdu malgré ses 40 ans de vie en France. De sa terre natale, il parle tous les jours. De quoi vous donner envie d'y aller. Mais quand on lui demande pourquoi il ne repart pas définitivement dans son joli village, il ne répond que par un triste sourire. Certainement une cicatrice mal fermée. Un malheur ou un regret. On ne sait pas ce que cachent ces yeux tristes. Mais à peine apparu, le voile s'en va. Toute tristesse envolée, monsieur Martinez reprend là où il a été coupé et vous enivre avec sa belle Andalouse et ses plantations d'oranges à perte de vue. Des levers du jour au chant du coq et de la chaleur de l'après-midi qui ne vous laisse pas d'autre choix que de faire la sieste, pour enfin le soir venu, profiter à la fraîche d'une sangria bienvenue.

C'est ainsi qu'il est parvenu à convaincre mon mari.

Au retour, aucun regret. Monsieur Martinez a eu raison de nous pousser un peu. Et nous, nous sommes ravis d'avoir accepté. Ces vacances ont été magnifiques, mais comme toutes les bonnes choses, trop courtes à notre goût. Nous y retournerons l'an prochain, c'est sûr. Et nous emmènerons monsieur Martinez.

Sur son village et le reste, il n'a pas menti. Tout a été aussi bien sinon plus que ce qu'il nous en a dit. D'autant plus que sa « petite maison » s'est révélée être une magnifique et typique hacienda. Avec ses chambres toutes orientées vers une cour intérieure avec une fontaine en son centre. Tout autour, en hauteur, des balcons décorés de mosaïques et de luminaires orientaux s'éclairant d'une lumière tamisée la nuit tombant...

Quelle modestie cet homme.

Nous venons d'atterrir. L'aéroport est bondé et les gens courent dans tous les sens. Les enfants trépignent d'impatience alors que nous attendons nos bagages près du tapis roulant. Ils sont ravis de rentrer, bien qu'ayant passé un très bon séjour. Mais ils sont surtout pressés de retrouver leurs copains à qui ils auront plein de choses à raconter.

À peine avons-nous passé la porte de sortie de l'aéroport que le téléphone de Patrick se met à sonner. C'est son remplaçant qui l'informe d'une urgence qu'il ne peut assumer seul. Fini les vacances et brutal retour à la réalité.

Une fois à la maison, pendant que Patrick est parti gérer son urgence au cabinet, je défais les valises puis prépare un dîner léger.

Je repense au délicieux gaspacho, à la paella et au pulpo à la gallega que nous a concocté Maria-Carmen. C'est la nièce de monsieur Martinez, une petite brunette pleine de vie qui s'est gentiment occupée de nous pendant tout notre séjour. Adieu les bons petits plats, tapas et planchas...

Ce soir, tout le monde se couchera tôt.

Dimanche

Je suis la première debout ce matin. Je ne sais pas pourquoi je pense à Marie. J'ai le sentiment désagréable qu'elle est revenue traîner dans mon jardin la nuit dernière. Je ne sais pas pourquoi, mais alors que je bois mon thé devant la fenêtre, cette pensée me taraude. D'abord sournoisement, puis comme une certitude. Je suis mal à l'aise et confuse.

Depuis le jour où Marie s'est présentée chez moi pour me menacer, je n'ai plus remis les pieds ni chez elle ni même aux abords de sa cabane. D'accord, par obligation j'ai dû me rendre à sa boulangerie, mais je ne l'ai pas provoqué. Bien au contraire, je me fais la plus discrète possible.

Alors…

Je décide d'aller faire un tour dans le jardin, pour me rassurer mais aussi tenter de comprendre ce qui peut bien l'y attirer. En pantoufles et robe de chambre, je sors dans la fraîcheur matinale. La pelouse est toute blanche et le givre recouvre les rosiers sans fleurs. Nous les avons plantés l'été dernier. Je longe le jardin en veillant à rester sur le parcours de gravier. Je ne veux pas souiller mes nouvelles pantoufles. Mon tour du jardin fini je contourne la maison. Rien ne me saute aux yeux à première vue. Mais au moment où je passe sous les fenêtres des enfants, j'aperçois un pétale de rose jaune sur le rebord. Mais qu'est-ce que… ?

Une sonnette d'alarme retentit dans mon esprit et une ampoule s'allume. Je me souviens avoir vu des fleurs sur le perron de la cabane. Pareil le jour où elle est venue danser dans mon jardin avec une couronne de fleurs. Cette fois, j'en suis sûre. Marie est venue ! Maintenant, j'en ai la preuve, mais que faire ? Que vient-elle chercher ici, sous les fenêtres de mes enfants ? Elle est folle à lier ou quoi ? Ils sont peut-être en danger ! Mon instinct de mère me dit que quelque chose ne cadre pas, mais je ne sais pas quoi. Néanmoins, je suis certaine c'est qu'il faut que j'agisse, pour la sécurité de mes enfants.

Je me précipite et regagne l'intérieur de la maison. Dans la chambre, je secoue vivement mon mari pour lui révéler ma découverte. Je suis fébrile et le flot de mes paroles se déverse sur un Patrick à moitié réveillé. Il parvient à émerger de son joli songe et tente de se concentrer sur ce que je suis en train de lui dire. Il arrive à force de patience à me calmer. Puis, puisque son sommeil est définitivement gâché, il accepte de m'accompagner pour voir de ses yeux l'objet du délit.

Il est d'accord avec moi. Nous sommes en hiver et il n'y a aucune fleur dans le jardin. Donc le pétale de fleur ne peut avoir été déposé, ou perdu, là la veille ou ce matin. Pas plus. Cette fois, mon mari décide d'aller immédiatement rendre visite à la boulangère pour lui demander une explication. Je veux l'accompagner mais j'essuie un refus catégorique. Il a raison. Vu l'état d'hystérie dans lequel je me trouve, il ne vaut mieux pas. En plus, les enfants dorment encore et quelqu'un doit rester sur place.

Patrick va se doucher, s'habille et s'en va.

Lui, si calme d'habitude a la mâchoire crispée en quittant la maison. Mais je lui fais confiance. Comme toujours, il trouvera les mots pour échanger avec Marie et régler la situation. Chose que je n'ai jusque-là jamais réussi à faire.

La boulangère n'est pas, il faut le dire, la reine de la communication. J'aurais souhaité être une mouche pour assister à ce moment qui promet, au vu des deux tempéraments, d'être surprenant. Mais résignée, je regarde debout sur le pas de porte la voiture et Patrick à son bord s'éloigner sans d'autre alternative que d'attendre.

Pour les enfants et moi, la matinée s'écoulera paisiblement.

Nous faisons quelques parties de Monopoly et ensuite je les laisse jouer à l'extérieur pendant que je m'occupe de préparer le déjeuner. Au menu, ce sera pommes de terre grenailles, rôti de bœuf et tarte aux pommes. Juliette et Timéo adorent ça. Contrairement à moi, ils ont oublié les saveurs hispaniques, ce depuis longtemps.

Au moment où j'enfourne ma tarte, j'entends la voiture qui s'engage dans l'allée. Patrick arrive. Il est dix heures. En l'observant par la fenêtre alors qu'il avance vers l'entrée je vois qu'il fait une drôle de tête.

Je finis mes préparatifs, puis vais le rejoindre dans le salon. Il est au téléphone. Ne voulant pas l'interrompre dans sa conversation, je lui fais un simple signe de la main auquel il répond d'un hochement de tête. Ensuite, je rejoins les enfants dans le jardin.

Juliette joue sur sa petite balançoire en chantant des comptines pour enfants à sa nouvelle poupée baptisée Lizzie. Emmitouflée dans sa doudoune bleue à capuche fourrée on aurait dit un esquimau.

Mon fils lui est allongé sur la pelouse. Il s'amuse à martyriser un escargot qui refuse, sans doute traumatisé peu avant par Timéo, de sortir de sa coquille. Je le gronde pour s'être sali, ainsi couché par terre et pour faire gratuitement du mal à un être vivant, puis retourne à ma cuisine et à mes occupations culinaires.

Quand midi sonne, je suis prête et j'appelle tout le monde à table.

Les enfants arrivent les premiers, se savonnent les mains, puis s'installent sagement. Mon mari pénètre à son tour dans la cuisine. Il a la mine des mauvais jours.

— Ça va chéri ?

— Oui, tout va bien…

— On ne dirait pas...

— Non je t'assure ça va. Ne t'inquiète pas.

— Tu es allé voir Marie ?

— Oui.

— Et ?

— Et quoi ?

— Ben raconte ! Qu'est-ce qu'elle a dit ?

— Pas grand-chose.

— Comment pas grand-chose ! Elle se permet de venir chez nous et de danser à poil dans notre jardin et tu me dis *pas grand-chose* ? En plus, c'est peut-être une perverse ou une psychopathe qui observe nos enfants par la fenêtre ou je ne sais quoi encore ! Et toi tu oses me dire quoi ? Rien à redire ?

J'explose littéralement. Je suis hors de moi. L'attitude de mon mari me surprend et m'énerve par sa légèreté. Il me fait sortir de mes gonds.

— Que lui as-tu dit ?

— Je lui ai dit d'éviter à l'avenir de venir rôder près de chez nous, sous peine de m'obliger à appeler la police.

— Et c'est tout ? Tu plaisantes ou quoi ?

— …

— C'est elle qui m'a menacé de ne plus revenir près de sa cabane, ensuite elle a le culot de faire la même chose et toi tu ne fais rien ?

— Mais elle ne nous a rien fait chérie ! Aux enfants non plus.

— Tu veux dire pour l'instant !

— Tu exagères toujours !

— Oh là ! Qu'est-ce que tu m'énerves des fois avec ton calme à toute épreuve !

Je tourne le dos à Patrick et sers les enfants qui, à chacune de nos disputes, se tiennent cois en attendant que l'orage passe.

Juliette assise à côté de son papa a les yeux brillants. Ah non ! Elle ne va pas se remettre à pleurer ! Il faudra que je fasse attention. Ma fille est décidément trop sensible !

Je respire un grand coup et affiche le plus beau sourire forcé dont je suis capable avant de déposer la salade au milieu de la table.

— Est-ce que Lizzie reprendra un peu de tarte aujourd'hui ? Elle en mange toujours deux part.

Voilà que je m'adresse à une poupée maintenant.

— Non !

Ma fille boude.

— Et pourquoi Lizzie ne veut pas de salade ?

— Parce que tu as grondé papa très fort.

— Mais non ma chérie. J'ai parlé très fort à papa mais nous ne sommes pas fâchés tous les deux. N'est-ce pas papa ?

Je regarde Patrick avec insistance pour qu'il me vienne en aide.

— Non nous ne sommes pas fâchés, répondit-il laconique.

Mes efforts pour faire bonne figure devant les enfants finissent par payer. L'atmosphère se détend au bout d'un moment. Les enfants racontent des histoires de leurs âges et se régalent avec la tarte aux pommes. Je ne reviens plus sur l'incident et le déjeuner s'achève plus sereinement qu'il a commencé.

Mais je ne comprends pas l'attitude de mon mari ni ses secrets autour de son *non-entretien* avec Marie.

8

Février a évincé janvier, pour être aussitôt talonné par mars et sa promesse de redoux. Mon mari et moi n'avons plus abordé de sujet qui fâche et particulièrement celui épineux de l'étrange boulangère.

Notre train-train est de nouveau coupé par une petite semaine de vacances. Les jours de pluie, les enfants et moi restons à la maison. Nous regardons des films et dessins animés, grillons des marrons ou faisons des crêpes. Delphine et ses jumeaux se sont joints à nous deux fois, pour notre plus grand bonheur. Ces jours-là, une joyeuse ambiance a régné dans toute la maison. Bien qu'on soit en hiver, Delphine reste égale à elle-même. Toujours souriante et gaie, avec ses tenues colorées et sa coiffure impeccable, elle arrive dans un voile de parfum coûteux, les bras remplis de bonbons, chocolats et autres friandises. Sans oublier les deux bouteilles de champagne qu'elle amène toujours pour, comme elle dit, voir la vie en rose.

Bientôt les grandes vacances. Nous retournons à Alicante cet été. Monsieur Martinez a accepté de venir avec nous. Depuis la dernière fois, il a développé une véritable amitié avec mon mari. Ils passent beaucoup de temps ensemble et parfois il vient dîner à la maison. Nous parlons toujours de l'Espagne en sa présence et de fil en aiguille il a commencé à se faire à l'idée de rentrer au pays. Juste pour revoir une dernière fois sa patrie. Avant le grand voyage. Pourtant il semble toujours apeuré. Moi je ne comprends pas pourquoi mais je soupçonne mon mari d'en savoir plus que moi à ce sujet.

Juillet est là. Nous nous envolerons pour la Costa Blanca dans trois jours. Entre les valises à préparer, la maison à ranger et les enfants que je n'arrive plus à tenir tant ils sont excités de repartir, je n'en peux plus.

Juliette et Timéo ne cessent de courir dans tous les sens en criant les mots que Monsieur Martinez leur a appris, sans égard pour leur *mama bonita* qui en a assez de ses *niños terribles*.

J'arrive tant bien que mal, je ne sais comment, à boucler les bagages la veille de notre départ. Delphine nous conduira tous à l'aéroport à bord de son monospace tandis que nos affaires suivront dans le 4x4 de son mari, présent ces temps-ci. Il est de retour d'un voyage en Asie depuis une semaine et ma voisine n'a jamais été aussi radieuse. Ce n'est pas souvent que son mari est à la maison. Ces jumeaux aussi semblent enchantés de ce retour inopiné de leur père. Pourtant tous savent que cette parenthèse ne va pas durer. Mais pour l'heure, ils sont heureux et c'est le principal.

Quelques heures après nous voilà à destination avec un Monsieur Martinez ému aux larmes. Tout le long du voyage, assis près de Patrick, il n'a cessé de lui serrer le bras, comme pour se rassurer d'être vraiment là. Dès la descente de l'avion, il a serré mon mari fort dans ses bras sans mot dire. Puis, dans le hall, les deux hommes se sont encore regardés longuement, yeux dans les yeux, avant de se diriger côte à côte vers la sortie, les bagages dans chaque main. Moi, à deux trois pas devant eux, j'avançais en pensant aux mets succulents à venir. Un mois de pur bonheur sous le soleil Andalous. *Bienvenidos en España.*

Nouvelle rentrée scolaire. Toute la maisonnée est prête pour la rentrée scolaire et les enfants tout particulièrement. Ils sont excités comme des puces. Étrange ces petits. Durant la période scolaire, ils rusent pour s'absenter et lorsqu'ils sont en vacances ils ont hâte d'y retourner. Il y a vraiment quelque chose qui ne tourne pas rond chez eux. De quoi devenir chèvre.

Nous avons acheté les fournitures, les cartables et de nouveaux vêtements la semaine dernière. Mes enfants ont encore grandi et je ne m'en suis rendu compte qu'aux essayages. Ils ont bonne mine avec leurs peaux hâlées et leurs cheveux éclaircis par le soleil. Je les regarde avec la fierté que doivent ressentir toutes les mères, non sans une pointe de regret de ne pouvoir les maintenir en l'état, à cet âge précis. Ils grandissent trop vite.

Le matin de la reprise, en les laissant devant la grille de l'école primaire une rumeur arrive à mes oreilles. La veille, deux enfants ont été hospitalisés en urgence suite à des maux de ventre et des vomissements. Les écoliers auraient commencé à se plaindre après le déjeuner à la cantine. Aussi, on annonce que celle-ci sera fermée par obligation des services de veille sanitaire, ce durant quelques jours. Ils doivent procéder à des tests et prélèvements pour vérifications.

En conclusion, pas de cantine aujourd'hui et à nous de nous débrouiller pour revenir récupérer nos enfants à midi, les restaurer et les ramener ensuite.

Zut ! Je n'en ai pas envie mais, il faut donc que je fasse un crochet par la boulangerie-épicerie pour y faire deux trois courses.

Alors que j'arrive devant la boutique, je trouve porte close. La pancarte « Fermé » est apposée sur la vitrine et tout est éteint à l'intérieur. C'est surprenant car Marie est rarement absente. C'est la seconde fois en deux ans, je crois.

Je n'ai pas d'autre choix que d'aller au supermarché. Mais avant je dois retourner à la maison pour récupérer la voiture. Heureusement que mon mari est parti en vélo ce matin. Une nouveauté. Il a décrété un beau matin que sa vie de citadin est désormais derrière lui et que, en l'occurrence, il doit vivre en harmonie avec la nature. Il s'est donc acheté un vélo et depuis n'utilise la voiture que pour les grands trajets. Tous ses autres déplacements il les fait en deux roues. Grand bien lui fasse.

En attendant, aujourd'hui ça m'arrange. La grande surface est à quarante minutes de route, aller et retour s'il n'y a pas trop de circulation.

J'ai trois heures devant moi et donc largement le temps d'y aller. Je ferai le grand ravitaillement.

Les cabas dans le coffre, le chéquier dans le sac et en voiture Simone, me voilà repartie !

Ce qui est agréable en campagne c'est le fait qu'il n'y a jamais personne sur la route et très peu de feux rouges. Mais la réalité me rattrape dès que j'arrive aux abords de la zone industrielle. Après avoir bien tourné dans le parking, je trouve enfin une place et me gare. Je transpire déjà alors que je n'ai même pas commencé mes courses. Et le plus dur est devant moi. Ma mission numéro un, chercher un caddie et mission deux, survivre à la guerre des choix dans les rayons.

Une heure après, je ressors du magasin, le caddie remplit et reprend la route vers la maison après avoir tout chargé dans le coffre. Je me rends compte que j'ai vraiment de la chance d'habiter en dehors de la ville. Une sensation de joie me gagne à l'idée de rentrer et retrouver ma campagne et son calme.

Pendant que je conduis, je prépare mentalement mon menu du jour. Pour ce midi, je préparerai des pâtes au beurre et des steaks hachés. Et ce soir, ce sera poulet au four et pommes de terre. Demain, je ferai du poisson pour changer.

Une fois arrivée, je range mes courses et exécute mon programme. Le temps passe vite. Une chose après l'autre je ne fais pas attention à l'heure et je me mets en retard. J'arrive devant l'école après la deuxième sonnerie. L'horloge de l'église indique midi dix. Il n'y a presque plus personne devant.

J'attends. Le plus gros des élèves est parti. J'ai beau tendre le cou pour essayer d'apercevoir mes enfants parmi les derniers, je ne les vois pas. Je sais que d'habitude ils sont toujours dans la course avec ceux qui sortent les premiers. Là, ne restent plus que les traînards. Trois élèves arrivent en fin, mais pas de Timéo ni de Juliette.

Je commence à sérieusement m'inquiéter et J'entre dans la cour à la rencontre des assistantes de vie scolaire. Quand je les interroge, elles me répondent qu'ils sont déjà partis. Je reste sans voix. Mais avec qui ? C'est moi qui viens les chercher !

— Moi je ne sais pas, répond l'une d'elles. Ils sont partis en courant comme s'ils avaient reconnu quelqu'un au portail.

— Mais qui ?

— Malheureusement, je ne peux pas vous en dire plus. Avec tous les enfants courant dans tous les sens, c'est difficile pour nous d'avoir les yeux partout.

— Mais c'est VOTRE travail ! C'est inadmissible ! Je veux voir la directrice ! Il y a une malade qui se balade dans tout le village et vous, vous ne surveillez pas nos enfants ?

— Madame Mangin n'est pas là. Elle sera là cet après-midi.

Bravo. Je suis furieuse. Je sais que j'ai tort de m'en prendre à ces deux femmes qui, j'en suis sûr, font de leur mieux pour gérer la cinquantaine d'enfants à leur charge. Mais je suis hors de moi. Je ne sais pas où se trouvent les miens. Je vais devenir folle.

Timéo et Juliette le savent. Quand je suis en retard, ils ont pour consigne de m'attendre derrière la grille. Il leur est interdit de la franchir seuls.

Je suis tellement en pétard, ne sachant à quel saint me vouer, que je cours jusqu'à la boulangerie. Elle est toujours fermée avec sa pancarte sur la porte. Je tambourine dans l'espoir que Marie soit à l'intérieur. Mais aucune réponse. Pas un bruit. Je retourne au pas de charge jusque devant l'école où il n'y a plus personne. La grille est fermée. Je n'ai même pas pris mon téléphone portable. Dans ma précipitation, je l'ai oublié sur la table du salon près de mon sac à main. Je suis au bout du bout et imagine le pire. Que dois-je faire maintenant ? Aller à la gendarmerie ? Oui, c'est le mieux à faire pour l'instant. Elle n'est qu'à cinq cents mètres.

Marie est absente, chose rare rarissime et mes enfants ont disparu.

1 + 1 =2. Elle les a enlevés !

Panique totale. Je fonce et quelques minutes après je suis à la gendarmerie. À l'agent à l'accueil j'explique vouloir déposer plainte. Pour kidnapping, je précise. Je lui affirme connaître le kidnappeur. Hystérique, je lui raconte tout et de manière désordonnée. Notre installation dans le village, sa cabane, ses menaces à demi-mot, ses danses nocturnes sous mes fenêtres jusqu'à ses bouquets de fleurs et ses intrusions dans mon jardin.

Soit, me répond-il. Il veut bien le faire mais contre X. Sous le motif que je n'ai aucune preuve contre Marie. Il me demande de tout reprendre à zéro et calmement cette fois.

Je respire un grand coup puis recommence à raconter mon histoire en tentant de paraître normale.

Le militaire m'écoute attentivement jusqu'au bout, puis sans un mot me remet une déposition dans laquelle il a tout consigné, sauf le nom de la boulangère.

Résignée, je signe le procès-verbal et m'en vais le cœur lourd. Ils me tiendront au courant. C'est tout ce qu'il m'a dit avant de me pousser vers la sortie.

Il faut que je rentre. Je dois prévenir mon mari. Comment va-t-il réagir ? Il dira à coup sûr que tout est de ma faute et que je n'aurais pas dû arriver en retard. Mais j'ai été obligée d'aller au supermarché. Comment aurais-je pu faire autrement alors que le frigo et les placards sont vides ? En outre, là n'est pas le problème puisque je suis revenue à temps du magasin. C'est une fois à la maison que j'ai déconné je dois l'admettre. Tout est de ma faute. Mes enfants sont dans la nature avec une folle.

Mon Dieu, aidez-moi ! Ma Juliette doit être dans tous ses états et mon brave Timéo… Ils doivent me considérer comme une mère indigne à présent, une moins que rien. Il n'a pas tort du reste. Je suis fautive je sais et j'aurais dû mieux m'organiser.

J'arrive à la maison sans m'en rendre compte. Devant la porte, je farfouille dans mon sac à la recherche de mes clés quand j'entends des rires. Ça vient du jardin. Qu'est-ce qui se passe ? Je fais le tour de la maison et là, je découvre, assis autour de la table, mon fils, ma fille, ma voisine et ses deux enfants. Je suis tellement soulagée de les voir que toute colère s'est instantanément envolée. Mes enfants me sautent dans les bras, tandis que Delphine m'explique l'affaire.

En arrivant à l'école pour récupérer ses garçons elle ne m'a pas vu. Elle a attendu quelques minutes avec mes enfants et s'est dit que j'ai eu un imprévu. Alors, ayant prévu un grand pique-nique pour ses fils, elle s'est dit qu'il y en aurait bien assez pour tout le monde, du coup elle a pris l'initiative de les prendre et d'improviser le pique-nique dans mon jardin en m'attendant. Je la rassure en lui disant qu'elle a très bien fait et la remercie chaleureusement.

Toute à ma joie j'en oublie de prévenir la gendarmerie que les enfants sont sains et saufs, ce qui me vaudra une bonne engueulade. Mais heureusement, Marie, elle n'en saura jamais rien. Sa boutique restera fermée pendant une semaine. Je ne sais d'ailleurs toujours pas pour quel motif. Mais peu importe mes enfants vont bien et les élèves hospitalisés aussi. Ils ont avoué avoir mangé des baies ramassées dans les buissons des environs. Heureusement, ils s'en tirent avec beaucoup de fatigue et une bonne leçon. À savoir qu'il ne faut pas mettre en bouche tout ce qu'on ramasse dans les bois.

La cantine mise hors de cause, la vie a repris son cours normal et le village redevient calme.

Moi aussi j'ai retenu une bonne leçon de cette mésaventure. À tort, j'ai accusé la boulangère sans aucune preuve. J'ai reconnu, devant les témoins, les gendarmes et mon mari que j'ai cédé à la panique et l'ai accusée à tort. La pauvre n'a rien fait.

Pour cette fois du moins…

Dix jours après, cette histoire est loin derrière nous et tout le monde vaque à ses occupations habituelles. L'agence pour laquelle je travaille m'a recontacté. Elle souhaite parler d'un nouveau projet de travail avec moi.

Un jour, en rentrant de la gare où je suis allée prendre des renseignements pour mon prochain voyage à Paris, je tombe presque nez à nez avec l'ancien docteur du village. Le Docteur Grizetti. C'est ce médecin généraliste que mon mari a remplacé à son départ à la retraite. Je ne l'ai vu en tout et pour tout que deux fois, mais je le remets tout de suite grâce à sa petite moustache particulière. Celle-ci remonte de chaque côté et est noire de jais, en total contraste avec ses cheveux gris. Cela me fait penser à Hercule Poirot, le célèbre détective belge d'Agatha Christie incarné à l'écran par David Suchet. On sent que le bon vieux docteur en prend grand soin, ce qui le rend reconnaissable entre tous.

Il poursuit son chemin, il ne m'a pas vu. Je le suis du regard jusqu'à la sortie puis m'avance à mon tour vers le guichet. Peu après, mon billet de train dans ma poche, je ressors du hall de gare et me dirige vers ma voiture, quand, au loin j'aperçois le docteur qui entre dans une vieille voiture. Un break bleu. Je démarre et fais demi-tour pour quitter le parking quand la voiture du retraité me dépasse. Je ne vois que son profil car il n'a pas tourné la tête trop absorbée par sa conduite. Mais je note en même temps qu'il a une passagère. Quand je me rends compte que je la connais, mon sang ne fait qu'un tour. Tout s'est passé très vite mais je suis certaine de ne pas me tromper. C'est la boulangère, Marie. Mon Dieu, je n'aurais jamais imaginé ça. Le docteur avec la boulangère. En même temps, qu'est-ce que j'ai vu ? Rien. Juste deux personnes dans une voiture et c'est tout. Peut-être qu'elle est sa patiente. Ce qui explique qu'elle ne consulte pas mon mari et ils n'ont rien fait d'illégal. Alors quoi ? Pourquoi cette vision me dérange ? Je n'en sais rien. Quelque chose m'a surpris. Leur attitude. Le sourire de la boulangère peut-être ? Oui. C'est ça ! Je n'ai jamais vu Marie sourire et c'est cette image qui m'a interpellé.

Plus que de la voir en compagnie de ce gentil monsieur, d'après mon mari, j'ai été surprise de voir que cette femme est capable de sourire. Tous les traits de son visage en ont été modifiés. Comme c'est étrange.

Je regagne mon domicile et vais me servir un verre de vin blanc. Chose rare de ma part. Je ne bois jamais seule. Mais là, je sens que j'ai besoin d'un petit remontant. J'ai un drôle de sentiment, comme un mauvais pressentiment.

Patrick est à son cabinet et les enfants à l'école. J'ai encore deux heures de solitude avant que mes monstres ne reviennent avec devoirs et disputes. J'erre dans la maison, tenaillée par mon malaise toujours présent. Bientôt, je n'y tiens plus et enfile mes tennis et un pantalon de jogging. Naturellement, je pars à petites foulées en direction du bois et précisément de la cabane.

Arrivée à la lisière, je m'arrête pour renouer mes lacets tout en regardant vers la bicoque. Rien ni personne à l'horizon. En observant mieux la maisonnette, je me rends compte que l'architecte a été habile. Les planches et poutres ont l'air solide même si très vieilles. Le toit en pente doit avoir été refait car il semble légèrement plus récent que les structures qui le soutiennent. À l'avant, il y a une porte avec trois marches pour y accéder et une fenêtre obstruée par des planches entrecroisées.

À l'arrière, comme je l'ai constaté la fois où j'en ai fait le tour, la cabane est dotée de deux petites fenêtres en forme de lucarne comme sur les bateaux. Et enfin sur un des côtés, une ouverture un peu plus grande à deux battants, fermés lors de ma première venue.

Après quelques minutes d'hésitation, j'avance jusqu'au perron, puis décide, sur une impulsion, de gagner directement l'arrière.

Heureusement car moins d'une seconde après j'entends le bruit d'un véhicule qui s'approche. Je m'aplatis contre le mur en remerciant ma chance. Ils ne peuvent pas me voir. Sauf si l'idée de faire le tour de la maison leur venait. Moteur coupé. Bruit de portières. Des pas. On monte les marches du perron puis le bruit d'une porte qu'on ouvre et referme. Je ne bouge plus et retiens mon souffle. À ma gauche, il y a l'unique fenêtre. Les battants sont entrouverts, sûrement pour permettre à l'air d'entrer dans la pièce. Mais l'espace ne me permet pas de voir l'intérieur. Il s'agit de la pièce qui fait office de chambre. Un coup d'œil autour de moi me confirme que je n'ai pas beaucoup d'issues. Si je veux me sauver, il me faudra regagner l'avant de la maison.

Je tourne les talons et suis sur le point de repartir lorsque j'entends une voix provenant de l'autre côté de la fenêtre. Elle est loin. Venant probablement de l'autre pièce. Sans doute a-t-on laissé la porte de séparation ouverte.

Je me raccroupis sous la fenêtre et tends l'oreille. Quelques bribes me parviennent.

— Est-ce que tu continues à prendre tes traitements

— …

— ... L'institut psychiatrique encore une fois...

— Non, je ne veux...

— Alors il faut faire ce que je te dis...

Je n'en entends pas plus car un bruit de chaise qu'on repousse m'a fait sursauter. Sans demander mon reste, je longe le mur sans bruit jusqu'au coin puis détale comme un lièvre. Je cours, sans même regarder en arrière. Je ne veux pas être vue. Je dois m'éloigner le plus vite possible. Je n'ai jamais couru cette distance en si peu de temps. En moins de vingt minutes j'arrive, le souffle coupé et la gorge sèche. Mon rythme cardiaque est trop rapide. Il faut que je me calme.

Je pousse le verrou, tourne la clé dans la seconde serrure et m'adosse à la porte afin de récupérer. Au bout de quelques instants, je gagne la salle d'eau et règle les robinets pour me préparer un bon bain chaud. J'ajoute des sels aux vertus apaisantes.

Après m'être dévêtue, je m'enfonce avec délectation dans l'eau pleine de mousse. Cela me fait aussitôt du bien. Est-ce l'effet des sels ou la tension qui retombe ? Je n'en sais rien. Mais en tous les cas, je commence à me détendre. Je reste ainsi une bonne heure.

Je repense à la boulangère, au docteur à la petite moustache et à la conversation que j'ai surprise. Si j'ai bien compris, la femme est bien malade. Elle a une pathologie, je ne sais laquelle, mais qui l'a semble-t-il déjà mené chez les fous ! Donc j'ai raison ! Et mon mari qui ne me croit pas quand je lui dis qu'elle est dangereuse ! Quand j'y repense, une bouffée de colère me monte. Imaginer ce qui aurait pu arriver aux enfants me rend folle.

Pourquoi rode-t-elle près de chez nous ? Que cherche-t-elle ? A-t-elle une idée derrière la tête ? Peut-être qu'elle a déjà élaboré un plan machiavélique pour enlever mes enfants ? Mon Dieu… Un frisson me parcourt bien que l'eau soit encore chaude.

Soudain, la sonnerie du téléphone fixe retentit et m'oblige à sortir du bain. J'enfile un peignoir et file vers le salon. Quand je décroche, il est trop tard. L'appelant a raccroché. Tant pis, il ou elle rappellera si besoin.

Nous avons un répondeur mais il n'est pas actif. Depuis l'achat de l'appareil, ni Patrick ni moi n'avons pris le temps de le programmer. Nous ne sommes pas portés sur les gadgets, donc chacun attend que l'autre s'y colle. Et comme nous avons nos portables respectifs, la nécessité de s'occuper de ce répondeur ne s'est pas imposée.

Je retourne dans la salle de bain pour me sécher les cheveux et me préparer. Les enfants ne vont plus tarder.

9

Je suis dans le train en route pour Paris. J'arriverai à 16 h 26 en gare Montparnasse. L'hôtel que j'ai réservé est à quatre kilomètres en taxi.

Mon premier rendez-vous étant prévu à dix heures demain, ce soir j'aurai toute une soirée pour moi. En attendant, par la fenêtre, je regarde défiler les paysages et les habitations. Je somnole de temps à autre bercée par le ronronnement du train. Près de moi, l'homme âgé avec qui je suis monté en gare est descendu et a cédé sa place à une jeune fille au style discutable. Elle ne me salue pas et ajuste tout de suite ses écouteurs sur ses oreilles. Elle est assise côté couloir et s'installe de sorte qu'elle me tourne presque le dos. Sa position me semble inconfortable mais c'est son choix. Et le message est clair. Elle n'a pas envie de me faire la conversation. Tant mieux car moi non plus. Je retourne à mes rêveries.

Beaucoup plus tard, me voilà arrivée à la capitale. Je m'engouffre dans un taxi qui m'amène à l'hôtel.

Une fois rafraîchie j'irai me promener à travers les rues de la grande ville. Lors de ma précédente venue, je n'en ai pas eu l'occasion faute de mauvais timing.

La chambre qu'on m'a attribuée donne sur le boulevard Raspail, dans le 14e arrondissement. Elle est de taille réduite mais elle est très bien agencée et me convient. Pour une personne et une seule nuit, c'est amplement suffisant.

Après une douche rapide, je ressors de l'hôtel et me dirige vers la rue de Rennes. Je fais quelques achats pour les enfants. J'achète un joli pull pour Patrick en prévision de l'hiver prochain et une jolie veste en daim pour moi.

Après ma séance de shopping, je me fais encore plaisir en dégustant un délicieux chocolat chaud dans un bistrot de la rue de la Gaieté.

En feuilletant le journal de la maison, j'apprends que ce soir on donne un spectacle musical près d'ici. Cela doit faire une éternité que je ne suis pas allée à un spectacle de danse ou même au théâtre. J'ai toujours aimé cela du temps de ma jeunesse. Je me rends donc au théâtre, situé à quelques centaines de mètres et m'informe auprès du préposé à l'accueil sur les horaires et les tarifs. Je règle et rebrousse chemin.

Mon billet en poche, je regagne mon hôtel avec tous mes paquets. Avant de monter dans ma chambre, je réserve une table au restaurant de l'établissement. J'y dînerai avant d'aller au spectacle. Une belle soirée en perspective.

Mais il faut d'abord que j'appelle à la maison pour vérifier que tout va bien pour Patrick et les enfants. Ce dernier m'assure que tout se passe parfaitement bien pour eux. Je suis rassurée.

Peu après, c'est d'un pas léger et l'air guilleret que je quitte ma chambre. Le restaurant est au rez-de-chaussée. C'est un semi-gastronomique décoré avec beaucoup de goût. On m'installe à une petite table près d'une fenêtre. Ce qui me convient parfaitement. Je pourrai observer les passants à loisir bien que j'ai prévu de ne pas rester trop longtemps. Je dois être au théâtre à vingt heures.

La carte est alléchante et j'ai envie de tout commander. Mais je reste raisonnable et opte pour une cassolette de la mer en entrée, suivie d'une lotte accompagnée d'une sauce au beurre citronnée et ses asperges. En toute fin, je me laisse tenter par un fondant chocolat et sa boule de glace vanille. Un délice et beaucoup de kilos en plus à venir, mais aucune culpabilité pour l'heure.

Mon festin achevé, je sors et arrête un taxi qui m'amène jusque devant le théâtre. Il y a un début de file d'attente. Une courte attente puis nous entrons dans le hall. En attendant le moment de pénétrer dans la salle, je regarde les affiches et nombreuses photos sur les murs. Soudain, je suis attirée par l'une d'elles en particulier. Je m'approche pour la scruter de plus près. C'est une très vieille affiche.

Après avoir lu le texte faisant l'éloge d'une jeune troupe de danse, je détaille la photo. Un visage en particulier me semble vaguement familier. Mais je n'ai malheureusement pas le temps de le détailler plus longuement car on nous appelle. Nous allons rejoindre nos places et les lumières s'éteignent.

Le spectacle va bientôt débuter.

Je m'assieds dans ma rangée, près d'une dame fine comme une brindille. Elle est coiffée d'un chignon haut sur le crâne et a un très long cou. Elle me fait penser à une girafe, mais alors que je regarde son profil quelque chose fait tilt dans mon esprit. L'image de la boulangère se matérialise. Pourtant, aucune comparaison ni lien possible entre la corpulente boulangère et cette femme maigrelette.

Alors, pourquoi je pense à Marie, juste maintenant en plus ?

Mais bien sûr ! Je l'ai ! Voilà ce qui m'a titillé ! C'est elle la photo ! C'est Marie que j'ai reconnue sur la photo du hall ! J'en suis certaine ! Pourquoi ne l'ai-je pas remise tout de suite ? Tout simplement à cause du maquillage, de sa tenue, mais aussi de sa silhouette. Sur la photo de l'accueil, elle est tellement souriante et mince que toute sa posture et son visage en sont transformés. Et cet habit oriental qu'elle porte ? D'ailleurs, toute la troupe est habillée dans le même style. Les hommes aussi bien que les femmes. Ce doit être un spectacle autour du thème des Mille et une nuits ou quelque chose du même genre.

La boulangère est si jeune… Elle ne doit pas avoir plus d'une vingtaine d'années tout au plus sur cette affiche.

Elle est belle et semble si heureuse à en juger par le grand sourire qu'elle arbore.

Durant tout le spectacle, que je ne vois même pas, je pense à cette photo et à tout ce qu'elle implique. Sur la scène, les danseurs s'en donnent à cœur joie sur des rythmes effrénés. Dans la salle, les spectateurs sont enchantés. Moi je n'entends qu'une musique lointaine et quelques applaudissements de temps à autre, mes pensées revenant sans cesse à la photo et à Marie.

La représentation s'achève sans que je m'en rende compte. Si on m'avait demandé de raconter ce que je viens de voir, j'en serais tout simplement incapable. Je fends la foule qui sort et retourne à grands pas vers le hall. Il faut que je revoie la photo. Une fois devant, j'ai la confirmation de ce que j'ai pensé pendant toute la représentation. C'est bien Marie qui se tient au centre de la troupe. C'est une certitude. La boulangère a été danseuse dans une autre vie.

Mais alors, qu'est-ce qui a dérapé ?

90

Qu'est-ce qui a pu arriver à cette femme pour la rendre aussi mal aimable et acariâtre ?

Je ne comprends pas. J'ai de la peine et presque de la pitié pour elle.

Cette nuit est difficile, je ne dors pas beaucoup. Le lit de l'hôtel est confortable pourtant. Mais je suis tenaillée par d'horribles pensées. Je n'arrête pas de tourner et me retourner dans les draps. Les heures passent, entre songe et éveil. Et au matin, je me lève avec la tête enfarinée par ce sommeil perturbé.

Mon rendez-vous est trop important et je n'ai pas d'autre choix que de prendre sur moi.

Je me lève et dans la salle de bain je tente le tout pour le tout pour masquer les traces du désastre. Ensuite, je quitte la chambre et arrivera ce qui arrivera.

La réunion avec la direction se passe à merveille et je suis ensuite présentée à de jeunes et talentueux porteurs de projets. Les premiers contacts sont prometteurs. Nous en sortons tous ravis et motivés de travailler ensemble. Pour moi, tout cela annonce une nouvelle année chargée, mais je suis satisfaite. L'agence me considère dorénavant comme une partenaire et c'est avec un contrat juteux que je repars. Mon rêve de toujours vient de se réaliser. J'ai tellement travaillé pour. Je suis heureuse. Je hèle un taxi, à peine sortie du bâtiment, pressée de me rendre à la gare et de retourner chez moi. Le chauffeur plein d'humour me dépose en un rien de temps à bon port, non sans m'avoir envoyé une dernière vanne pour la route. Il m'a bien fait rire celui-là.

Le soir même, je suis de retour à la maison où les enfants et Patrick me font la fête comme si j'étais partie sept ans au Tibet.

Nous passons une agréable soirée en famille et le souvenir de la boulangère est refoulé loin dans mon esprit fatigué pour un temps.

Le jeudi suivant, je suis réveillée au beau milieu d'un joli rêve. Il me semble entendre Juliette pleurer. Quelle heure est-il ? Je regarde le réveil. 0 h 45. Mince !

Patrick est profondément endormi. Je me force à me lever et me dirige vers la chambre de ma fille. Je l'entends sangloter et la trouve recroquevillée entre son lit et le mur. Qu'est-ce qui lui arrive ?

— Mais enfin mon ange, qu'est-ce qui se passe ?

Elle pleure.

— Tu as fait un cauchemar, ma chérie ?

— Non…

— Alors qu'est-ce qui se passe ?

— J'ai eu peur maman.

— Tu as eu peur de quoi ma fille ?

— De la méchante dame !

— Quelle méchante dame ?

— La dame qui danse avec les fleurs, réussit-elle à articuler entre deux sanglots.

— Quoi ? Qu'est-ce que tu racontes ? Je suis stupéfaite. De quoi parles-tu, Juliette ? Quand est-ce que tu as vu cette femme ?

Ma voix est montée d'un cran et ma fille me regarde avec de gros yeux. Je dois me calmer sinon elle va encore se mettre à pleurer.

— Juliette, écoute-moi mon bébé d'amour. Dis-moi la vérité.

— L'autre jour-là avec Timéo on l'a vu à la fenêtre. Et aujourd'hui, elle est revenue frapper à la fenêtre et j'ai eu peur d'ouvrir. J'ai eu raison Maman ?

— Mon Dieu oui, ma chérie ! Tu as très bien fait petit cœur ! Je la serre fort dans mes bras à la fois pour la rassurer et pour m'empêcher de trembler de rage. Je lui chante une berceuse tout en caressant ses cheveux longs et soyeux.

Intérieurement, je suis telle la lave d'un volcan avant éruption, mais je lutte pour garder un calme apparent pour ne pas effrayer un peu plus ma Juliette.

Une fois réconfortée, je la remets au lit et retourne dans le mien sans bruit pour ne pas réveiller mon mari. Pour moi, c'est fini. Je ne m'endormirai plus avec ça dans la tête. Je suis trop en colère. Au bout de dix minutes, je ne tiens plus. Je me relève et me rends dans la salle de bain. Ma décision est prise. Je vais affronter Marie. Aujourd'hui même. Il est près d'une heure et quart du matin. J'irai à la boulangerie tout de suite après avoir accompagné les enfants à l'école. Je ne peux pas laisser les choses en l'état, sans réagir. Elle a approché mes enfants. Que fera-t-elle la prochaine fois ?

En attendant, je prends une couverture et vais m'allonger sur le canapé du salon. Mon sommeil est définitivement fichu. Je ne vais pas gâcher celui des autres. Je vais regarder la télé.

Plus tard, vêtue d'un jean et des baskets, je me dirige d'un pas résolu vers la boulangerie. Il fait bon ce matin, il n'y a pas un nuage à l'horizon. J'aurais apprécié la balade si les circonstances avaient été autres. Mais là, ce n'est carrément pas le cas. Je suis remontée et sur le point d'exploser. Je n'ai aucune peur et suis prête à en découdre avec la boulangère-danseuse. J'arrive donc devant le commerce avec cet état d'esprit et suis coupée net dans mon élan. Je me trouve toute bête devant la porte close. La pancarte fermée est apposée sur la vitre.

— P... ! Je n'ai pas pu le retenir.

Ça, ce n'est pas prévu dans mon scénario. Heureusement, aucun témoin, donc personne ne m'a entendu jurer. Qu'est-ce que dois faire maintenant ? Où est-elle ? Pourquoi ne pas aller à la cabane ?

Je rebrousse chemin en direction de la maison puis coupe à gauche pour rejoindre le petit bois. Je cours à petites foulées d'abord, puis accélère au fur et à mesure que monte ma rage. J'ai une montée d'adrénaline au fur et à mesure que j'avance. En arrivant presque devant la cabane, je remarque que la porte est entrouverte. Bizarre !

J'avance lentement, regardant de tous les côtés, m'attendant presque à voir surgir la boulangère avec une hache à la main. Mais je ne vois rien ni personne. J'avance. Je ne me dégonflerai pas cette fois. Il faut bien que je défende mes enfants.

À présent, je me tiens devant la première marche du perron. J'hésite devant cette porte ouverte. Que ferai-je une fois à l'intérieur ? Et que lui dire ? Comment va-t-elle réagir ? Je n'attends pas plus et prends une grande respiration avant de monter les trois marches.

Je toque à la porte et la pousse pour l'ouvrir en grand. Je tends le cou vers l'intérieur quand je manque trébucher à la vue de l'homme assis devant la table la tête entre les mains. Je reconnais aussitôt le vieux docteur. Quand il lève les yeux, il est aussi surpris que moi.

La porte de la petite chambre est grande ouverte. Elle est vide. Le docteur est seul.

L'homme a les yeux rouges et gonflés. Il a vraisemblablement pleuré.

Sans un mot, et ne sachant que faire d'autre, j'avance et m'assieds.

Nous restons tous deux ainsi, face à face et silencieux durant de longues minutes.

— Vous l'avez vue n'est-ce pas, me dit-il ?

— Oui.

— Elle est venue chez vous ?

L'homme parle d'une voix très douce.

— Oui et elle a approché mes enfants, vous vous en rendez compte ? Qu'est-ce qui se serait passé si ma fille avait ouvert la fenêtre ?

— Ne vous inquiétez pas. Elle ne leur aurait fait aucun mal. Marie aime tout simplement les enfants. Elle est inoffensive.

— Vous rigolez ou quoi ? Elle a tout de même effrayé ma fille, Juliette ! Elle n'a que cinq ans et elle pourrait être traumatisée par ses apparitions ! Vous ne vous rendez pas compte ?

Ma voix est si aiguë que je ne la reconnais pas. Le docteur reste calme. Il m'observe d'un regard triste et un gentil sourire apparaît sur son visage fatigué. Sa moustache lui donne un drôle d'air mais il n'est pas vilain. Impossible de lui donner un âge. Je me dis même que jeune, il a dû être assez bel homme. Mais en cet instant, c'est un homme fatigué qui me fait face, un docteur qui plus est, qui a dû en voir des choses dans sa vie.

— Elle n'a jamais fait de mal à quiconque et encore moins à un enfant. Je vais tout vous expliquer. Mais avant tout, promettez-moi une chose. Lorsque je vous aurais tout raconté, promettez-moi de n'en parler à personne s'il vous plaît. À personne. Promettez-le-moi.

— C'est un peu compliqué, monsieur. Vous en conviendrez n'est-ce pas ? Je ne peux pas laisser une folle, potentiellement dangereuse, errer dans le village sans rien dire !

— Je vous assure qu'elle n'est pas dangereuse.

— Ça, c'est à voir ! Je veux bien écouter ce que vous avez à me dire et on verra après.

Le docteur Grizetti est épuisé. Ses épaules s'affaissent. Il semble sur le point de se raviser puis finalement, après s'être raclé la gorge il commence à parler et à me raconter l'histoire de Marie.

10

Le dos bien droit sur la chaise, j'écoute le vieil homme raconter pour la première fois la vie de cette femme qui compte tant pour lui. Il me dit qu'il me faut l'entendre pour comprendre, moi, la nouvelle du village, la fille de la ville, une inconnue.

« L'histoire de Marie est liée à celle de ce bourg. Son passé est plein de secrets. Cette femme à l'air vieille et revêche que vous voyez est née ici. C'est la fille de Esther, elle-même fille de Marguerite et Fernand qui ont fondé cette boulangerie quelques années avant la Seconde guerre. »

La grand-mère de Marie a recueilli trois enfants un beau jour de printemps de l'année 1943. Elle les a probablement sauvés d'un avenir incertain, voire de la mort. Ils étaient juifs. Ces enfants se prénommaient Esther, Édith et le petit David. Les deux derniers, une fois adultes, ont quitté le village, mais pas Esther qui a repris la boulangerie de ses parents adoptifs.

Plus tard, elle s'est mariée à un type d'ici, Gabriel et a donné naissance à ma Marie. Tous deux nous ont quittés de ce que l'on appelle communément leur belle mort, la vieillesse.

« Mais revenons à Marie. Elle et moi nous connaissons depuis l'enfance. Nous étions tous deux à l'école primaire du village, comme vos enfants. Nous avons grandi ensemble. Elle est plus jeune que moi. C'est ce qu'on appellerait aujourd'hui une surdouée. Elle a sauté une classe et est arrivée en sixième quand moi j'achevais le collège. Ensuite, je suis allé au lycée en ville puis à la faculté de médecine et nos routes se sont séparées. À 17 ans, Marie, qui avait aussi un véritable don pour la danse, est partie pour une école en ville puis est entrée dans une compagnie de renommée.

Ensuite, je ne l'ai plus revue jusqu'à mon retour définitif au village, quand j'ouvrais le cabinet que j'ai vendu à votre mari. Marie avait 23 ans et moi 27. »

« Quand sa maman, Esther, est décédée, Marie est revenue pour l'enterrement avec son oncle David et sa tante Édith qui vivait en Amérique. C'était la première fois qu'elle les rencontrait. Cette rencontre a été terrible pour elle car dans ses affaires, la tante Édith avait des lettres de la mère de Marie. Dans ces lettres, elles parlaient de leur enfance et d'un long voyage qu'elles avaient fait. Il y avait de terribles révélations sur leurs origines, la fin tragique de leur père et ensuite leur mère dans des endroits appelés *les camps de la mort*. La tante Édith s'est éteinte peu après cette rencontre. N'ayant pas eu d'enfant, elle laissera toute sa fortune à Marie. Quant à l'oncle David, Marie n'eut plus aucune nouvelle de lui.

Nous, nous nous sommes retrouvés et sommes tombés amoureux. Nous entretînmes une relation à distance pendant deux ans. Jusqu'à ce maudit week-end. »

Le docteur s'arrête un instant. Il a le visage crispé et les poings serrés.

« Ce week-end-là, nous étions allés camper dans les gorges du Verdon. J'étais un marcheur chevronné, faisant beaucoup de randonnées dès que je disposais de temps libre. Marie une bonne suiveuse de par son métier de danseuse.

Mais il y a eu un imprévu. Nous avons été surpris par un orage de grêle et dans la précipitation du retour, ma Marie a glissé et a fait une chute de dix mètres de haut. Elle a atterri dans une crevasse. Heureusement ou malheureusement, je ne saurais le dire. Mais elle a survécu, avec des blessures terribles aux jambes et à la colonne vertébrale. »

« Tout le monde pensait qu'elle ne marcherait plus jamais, sauf moi. Mon esprit cartésien m'empêche de parler de miracle, mais à ce jour, je ne sais toujours pas comment elle s'en est sortie.

Et j'avais raison d'y croire. Elle remarcha après de nombreuses opérations. Mais sa carrière de danseuse était finie et ses rêves de gloire avec.

Le docteur s'arrête un instant pour essuyer ses yeux humides. Puis il reprend son récit.

Elle resta durant tout ce temps chez son père, au-dessus de la boulangerie. Gabriel était un brave type mais peu bavard et ne parvenait pas à trouver les mots pour apaiser la souffrance morale de sa fille qu'il adorait plus que tout.

Moi j'allais à son chevet chaque jour, mais elle se mura progressivement dans le silence puis refusa définitivement de me voir.

Elle sombra dans une profonde dépression. Je continuais toutefois de prendre des nouvelles par son père, mais ce n'était plus pareil.

Et je me sentais responsable de cette situation. Tout ça était arrivé par ma faute. C'est moi qui avais eu cette fichue idée de randonner. »

Le vieil homme fait un large geste du bras.

« Cette cabane je l'ai construite au début de notre relation. C'était notre lieu de rendez-vous d'amoureux. J'en ai toujours pris soin, même quand elle n'était pas là. Quand son père rendit l'âme, Marie s'enfonça encore un peu plus dans sa solitude et commença à agir de manière curieuse. Elle tenta plusieurs fois de mettre fin à ses jours. Un jour, je la sauvais in extremis ici même où elle avait mis le feu au matelas.

Je fus obligée en tant que médecin de la faire interner de force pour sa propre sécurité. Après une hospitalisation dans un établissement spécialisé durant près d'une année, elle est ressortie en meilleure forme.

Tant qu'elle prenait son traitement, tout allait bien, mais c'était quand elle ne le prenait plus que tout dérapait…

Bref. S'agissant des enfants, elle est tout simplement incapable de leur faire du mal. Elle et moi avions l'espoir de fonder une famille. Avoir un bébé était le leitmotiv de Marie. Elle disait qu'elle aurait une fillette aux yeux bleus et un garçon blond comme les blés et courageux qui la protégeraient. Elle m'a dit que vos enfants sont très gentils. Lorsqu'elle régresse, c'est près des enfants qu'elle cherche du réconfort. Pourquoi ? Ne me le demandez pas. Mais avec eux, elle revit. Elle veut juste leur faire plaisir.

Tous les jours, elle prépare des gâteaux qu'elle remet aux maîtresses de l'école. »

« Une fois, un couple de vacanciers qui pique-niquait dans le bois n'a pas prêté attention et leur petit garçon de quatre ou cinq ans s'est égaré. Nous nous sommes tous mobilisés pour aider les gendarmes et avons fait des battues dans tout le village et la forêt.

Et c'est par le plus grand des hasards que nous avons retrouvé l'enfant dans la cabane avec Marie en train de goûter et de chanter des chansons, tranquillement installés à cette même place. »

Il fait une autre pause.

« Comprenez-vous maintenant ? Ici, c'est son refuge. Le seul où elle se sente bien. À la boulangerie, qui n'est autre que celle de ses parents, elle joue un rôle. Elle essaie de son mieux de paraître normale.

Il sourit à cette pensée et moi aussi. Si le fait d'être à peine aimable avec les clients est sa définition de la normalité !

Et le soir, elle danse en tenue d'Ève à travers tout le village… Quoiqu'il en soit, je suis responsable de ce qui est arrivé à Marie. Je l'aimais et l'aimerai toujours. Et jusqu'à la fin de mes jours, je la protégerai ».

Le docteur se tait. Il a fini son récit. Je ne trouve rien à dire, aussi je garde le silence. Au bout d'un quart d'heure, je me lève et vais embrasser cet homme sur le front. Il pleure en silence. Je n'ai rien à ajouter et m'en vais en refermant doucement la porte derrière moi.

Une fois chez moi, je cherche à m'occuper. J'ai besoin de bouger, de faire quelque chose. Je vais dans la chambre des enfants, refais les lits, passe l'aspirateur dans toute la maison puis vais faire la vaisselle du petit-déjeuner.

Alors que j'essuie le dernier bol en regardant par la fenêtre, des larmes commencent à couler sur mes joues. Je n'essaie même pas de les retenir. Je me laisse choir sur un tabouret et me mets à pleurer pour de bon.

Je pense au docteur et à cette pauvre femme. Je n'arrive plus à m'arrêter de pleurer, une véritable crise de larmes retenues trop longtemps.

Quelle triste histoire !

Quelqu'un frappe à la porte. Je m'efforce de calmer mes sanglots et essuie mon visage ravagé après m'être passé le visage sous l'eau fraîche du robinet.

Quelques secondes plus tard, je vais ouvrir.

Il n'y a personne devant la porte. Bizarre…

Je baisse les yeux et je vois, sur le pas de porte, un bouquet de fleurs jaunes. Je ne sais plus quoi penser.

Peut-être est-ce le moyen que le docteur a trouvé pour me remercier de l'avoir écouté ? Je ramasse le bouquet et le hume. Ça sent bon. Mes larmes se remettent à couler.

Je referme la porte et retourne dans ma cuisine avec le bouquet, quand mon regard est attiré par un mouvement derrière la fenêtre. Je me précipite et ai juste le temps de voir une silhouette reconnaissable entre toutes disparaître derrière la haie. Ce n'est pas le docteur qui a déposé ces fleurs. C'est Marie, la boulangère.

Et cette fois, elle est habillée. D'une robe jaune, comme les fleurs…

Quelques mois plus tard...

Nous sommes fin juin. C'est la fin de l'année scolaire et l'école a organisé une grande kermesse pour l'occasion. Par chance, la journée est ensoleillée et il n'y a aucun nuage de mauvais augure à l'horizon.

J'ai préparé de la citronnade, du vin d'orange pour les adultes et trois tartes aux pommes. Toutes les mamans en ont fait autant.

Mon mari et moi sommes heureux de faire dorénavant partie de ce village. Tout le monde nous a adoptés. Pour le jeune et beau docteur, tout marche comme sur des roulettes. Pour moi, sa femme également. Je m'épanouis dans mon travail, accumulant les commandes et les créations pour la société parisienne.

Mes enfants vont bien et grandissent loin du bruit et de la pollution. Que puis-je demander de plus ? Rien d'autre.

En face de moi, une longue table dressée en buffet regorge de mets aussi succulents les uns que les autres. Derrière ladite table se tiennent Marie et le Docteur Grizetti, officiants comme serveurs pour la journée.

Marie affiche un léger sourire en coin. Comme si elle se retenait de sourire franchement. Je ne la comprends décidément pas et sans doute que je ne la comprendrai jamais. Elle porte une jolie robe rose pâle et a attaché ses cheveux en queue de cheval. Elle est presque belle aujourd'hui.

Les enfants ravis s'agglutinent devant son stand et en repartent, qui avec une grosse part de gâteau ou deux, qui avec un gobelet rempli à ras bord. Quand certains veulent lui donner la pièce, elle tourne le dos, feignant d'être débordée et leur répond de revenir plus tard. Elle sait très bien que beaucoup, pris par les jeux oublieront et elle s'en fiche. Ce qui lui importe c'est de se trouver là, à cette fête, avec les enfants. Le docteur partage sa joie.

Ici, Marie est heureuse. D'autant plus qu'à la fin de l'après-midi un spectacle de danse, qu'elle a répété avec les plus grands, clôturera la journée. Il sait qu'elle a le trac mais il a confiance en elle. Ces derniers mois, elle a fait beaucoup de progrès. Tout a radicalement changé le jour où il a eu cette fameuse discussion avec l'épouse du nouveau docteur. C'est vraiment une gentille femme cette Madame Silva. Elle a compris la détresse de sa Marie et surtout qu'elle n'a aucune méchanceté en elle. Juste un léger grain de folie qui lui fait faire des choses étranges par soir de pleine lune.

Il a longuement parlé avec Marie. Elle aussi trouve que cette femme est gentille. Elle a le droit de parler avec ses enfants devant l'école. Mais Marie se méfie toujours d'elle parce que c'est une fouineuse. Elle n'a pas oublié le jour où elle s'est introduite dans sa cabane. Oui, elle l'a vue de ses yeux de là où elle s'est cachée à son arrivée.

Bon, il est vrai qu'elle n'est plus revenue depuis ce jour-là. Et Marie sourit intérieurement au souvenir de la belle frousse qu'elle a eu. La petite dame a détalé comme un lapin quand elle a enlevé le bouquet de fleurs. Elles sont à elle ces fleurs. C'est son amoureux de toujours qui les lui offre ces fleurs, comme au tout premier jour. La femme n'a rien compris. Ça lui apprendra. Marie sourit encore. Elle est heureuse aujourd'hui.

Elle aime beaucoup plus ses enfants, surtout la petite Juliette qui maintenant n'a plus peur d'elle. Tous les jours, elle va la voir jouer dans la cour de l'école.

En plus, leur mère les amène maintenant avec elle lorsqu'elle vient à la boulangerie. Ils saluent toujours Marie, qui ne leur répond jamais, mais remplit à chaque fois leurs poches de bonbons, sans faire cas de leur mère qui sourit jaune en pensant aux caries à venir.

La boulangère ne va plus danser dans leur jardin. Elle a promis et a tenu parole. Elle a écouté le docteur Grizetti parce que c'est son repère, son point d'ancrage dans cette réalité et plus que tout, elle l'aime. Lui aussi l'aime depuis toujours, elle le sait. Il a même accepté de porter la même moustache que son détective préféré, Hercule Poirot. Vincente Grizetti ne l'a jamais rasée. Et tout comme son héros, à chaque problème il fait marcher ses petites cellules grises pour tirer Marie de son mauvais pas. Alors, elle veut lui faire plaisir à son tour pour ne plus le voir pleurer.

Elle s'est fait la promesse. Elle fera tout pour rendre son docteur fier. Elle est vivante et va vivre. Parmi les autres...

Nouvelle II
Tumulte et agitation

En cette année 2020, notable par son climat d'incertitudes, de peur, d'attentes mais aussi de folies, le monde entier retient sa respiration.

On tente de vivre normalement malgré les nombreuses annonces et contre-annonces parfois spectaculaires des politiques et médecins. On essaie de se protéger à grand renfort de gel hydroalcoolique et masques chirurgicaux. On fait de son mieux pour ralentir le processus à défaut d'endiguer, d'éradiquer totalement le mal. L'issue est incertaine et encore lointaine. Aucun remède fiable et définitif n'émerge. Pourtant la lutte est commune, internationale. Pour la première fois depuis très longtemps, les états bataillent contre cet ennemi invisible, certes chacun de son côté pour en tirer une éventuelle gloire, mais tous ensemble surtout pour en finir une fois pour toutes. Mais nul ne semble sur le point de trouver le remède miracle.

De nouveaux termes font leur apparition et sont serinés dans les médias à longueur de journée, pour évoquer des comportements à adopter, des situations inédites ou des sensations et sentiments.

Confinement, anxiogène, gestes barrières, distanciation sociale, infantilisation, personnes à risques, pass sanitaire…

Même des mots d'usage en période de guerre et que l'on croyait disparus refont surface tels couvre-feu à vingt et un heure ou minuit, zones rouges ou vertes, restrictions de circulation sur le territoire, autorisations de déplacements, attestations...

De vieux maux resurgissent, et ce de manière exacerbée par la morosité et les tensions ambiantes.

Malaise psychologique et physiologique se mêlent et se confondent.

S'ajoutant à ce climat d'incertitudes, les violences envers les biens et les personnes explosent, alors que peu avant un élan de solidarité collectif avait redonné un espoir de communion aux personnes isolées, aux soignants et à tant d'autres.

Brutalités, agressions et de surcroît, actes de rebellions et provocations envers les forces sensées maintenir l'ordre. Actes de terrorisme isolés ou en bandes organisées se multiplient et entretiennent le climat de psychoses. On a peur depuis Charlie hebdo, les attentats de 2016, à Saint-Étienne-du-Rouvray, au Bataclan, à Nice, sans mentionner tout le reste, bien avant...

En cet été 2020 que reste-t-il d'espoir à monsieur et madame Lambda ?

L'optimisme qui les pousse à se dire que ce sera bientôt fini et qu'ils vont reprendre leur vie d'avant comme si rien n'était arrivé ?

Ou la peur de l'avenir et surtout de l'instant présent ? Le doute et la méfiance se sont insinués au gré des ruelles et rues, dans les écoles, au restaurant et via les canaux hertziens, les réseaux sociaux et les satellites, dans les foyers…

La rumeur

Un certain 10 août 2020, dans une petite cité balnéaire.

Il était près de minuit quand le bourdonnement a commencé.

Après la canicule de la journée, la chaleur avait peu à peu et avec regret cédé la place à une légère brise apportant un soupçon de fraîcheur. La nuit était belle et le ciel étoilé. Dans les rues, beaucoup de promeneurs et sur les berges quelques plaisanciers de retour et des badauds admirant leurs bateaux. Sur la promenade, de nombreux promeneurs, certains ayant fait un effort vestimentaire pour la sortie du soir et d'autres revenant de la plage où ils avaient passé tout l'après-midi, avec effets de plage et restes de pique-nique et barbecue dans les paniers. Et enfin, les noctambules, tongs et bermudas, glaces, trois boules à la main, croisant les familles se rendant au restaurant pour une soirée en famille ou entre amis.

En cet été très particulier, avec ses incertitudes et ses restrictions dues à un ennemi invisible mais extrêmement virulent et récalcitrant, le climat était morose. Une drôle de guerre. Mais l'été venu, on avait passé outre le nuisible et on était parti en vacances pour essayer d'oublier.

Pourtant on ne pouvait pas aller loin, les autorités ayant réduit les distances, alors on avait voyagé local, en France et en Europe.

Les nordistes et les frontaliers étaient venus en masse sur la Côte d'Azur. Du coup, il y avait du monde dans le Sud. On était presque à saturation dans la cité et il planait au-dessus comme une odeur de soufre.

Tout était parti d'une rumeur, mais nul ne savait comment. Un simple murmure au départ, d'où ? On ne savait pas. De qui, non plus, et pourquoi, on ne le saura jamais.

Mais elle s'était amplifiée et répandue à travers les téléphones portables, les ordinateurs et de bouche à oreille. Telle une nuée de sauterelles, comme une traînée de poudre, elle s'était propagée à travers la ville, dévastant tout sur son sillage.

L'un avait entendu « coup de feu », l'autre avait répété puis ajouté « attentat dans un restaurant », puis l'autre avait interprété « fusillade et attentat terroriste ». Autant de mots qui aujourd'hui en France et ailleurs font froid dans le dos. On pense encore des plaies.

Mouvement de panique générale et folie collective. Hystérie. Dans les rues, tout le monde s'agitait. Les gens, jeunes vieux, hommes, femmes, enfants, noirs, blancs se mettaient à courir sans savoir où aller. Certains se réfugiaient dans les restaurants ou bars encore ouverts. Aucune différenciation de classe ni d'appartenance ethnique lorsque la peur est commune. D'autres réunis autour d'un dîner, abandonnaient leur dessert et affaires personnelles pour s'engouffrer dans les arrière-salles, caves et renfoncements immédiats. On renversait les chaises, les tables. La vaisselle volait en éclats. On en oubliait son portable à six cents euros, son sac à main de marque prestigieuse, on perdait ses escarpins aux fameux talons rouges... Des hommes tiraient leur épouse trop lente par les cheveux pendant que les serveurs se jetaient sous les tables et derrière les comptoirs. Les chanceux se terraient dans les toilettes ou caves des établissements. Mais d'autres, encore plus chanceux, s'étaient sauvés, sans payer leur addition et avec toutes leurs affaires.

Très peu et rares seront les gens qui reviendront les jours suivants afin de s'acquitter de leur dû et seront surpris du fair-play de restaurateurs qui leur répondront que « c'est offert par la maison pour vous remercier de votre honnêteté ».

Les palaces n'avaient pas été épargnés. On avait saccagé les halls, brisé des vitres et dans les entrées, on avait renversé des vases de valeur inestimable.

Certaines entrées et étages avaient été pris d'assaut par des escouades de forces spéciales suite à un bruit annonçant que les malfaiteurs y étaient présents. Des rumeurs de fusillades et même de prise d'otages avaient été relayés un peu partout dans la ville et on ne savait plus à quel saint se vouer. Infos et intox se croisaient. C'était le chaos.

Et pendant ce temps, on appelait la police et même la mairie pour savoir ce qui se passait.

Les standards étaient sur le point d'exploser et les opérateurs n'en savaient pas plus que les appelants. C'était l'hystérie collective.

Pourtant un peu plus tard, les esprits se calmant peu à peu, l'idée d'un canular, d'une rumeur infondée, commença à se frayer un chemin dans les esprits échauffés peu avant. Les autorités relayèrent des informations rassurantes via les canaux dont ils disposaient. Doute, puis peu à peu certitude. Nous y étions. Il ne s'agissait que d'une rumeur.

Une altercation isolée avait occasionné la chute d'une table métallique et des badauds pensant qu'on avait tiré un coup de feu avaient paniqué. Tout était parti de là.

Version des uns contre-version des autres se télescopèrent. Au final, sous le coup de la panique et du mouvement de foule on décomptera une quarantaine de blessés.

La ville retrouvant son calme, la plupart des touristes ayant regagné leur domicile, on aperçut par-ci, par-là quelques âmes errantes, l'œil hagard, n'ayant toujours pas compris ce qui venait de se passer. D'autres quidams cherchaient qui son portable, qui une chaussure égarée, qui sa moitié.

Ce 10 août 2020, à Cannes, tout était parti à vau-l'eau. À cause d'une simple rumeur qui avait enflé jusqu'à engendrer une véritable confusion dans la cité des festivals.

Et si cette rumeur s'était avérée fondée ?

Si ce soir-là, un ou plusieurs individus mal intentionnés avaient réellement et intentionnellement semé le chaos ?

Raymonde

Elle regarde par sa fenêtre. Elle hésite à sortir en cette fin de matinée. Pourtant aujourd'hui est un jour spécial. C'est son anniversaire. Ce devrait être un jour joyeux pourtant elle n'a pas le cœur à la fête. C'est son anniversaire. Elle a 70 ans aujourd'hui, mais est désormais seule. Son mari, Raoul s'est éteint il y a une décennie et la plupart de ses bons amis ne sont plus. Ne restent plus que Louise, Suzette et Micheline. Et trois hommes. Maurice qui est devenu sourd comme un pot, Émile qui perd peu à peu la tête et Jean-Paul, dit Popol. Que c'est triste de vieillir, se dit-elle. Pourtant 70 ans c'est encore jeune. Une voisine à deux pâtés de maisons atteint cette année la centaine. Cent ans. Raymonde Marchand n'en demande pas tant. Mais si elle doit y arriver, elle souhaite que ce soit en forme sinon rien.

Elle se remémore sa jeunesse et les fêtes qu'elle a faites avec sa bande d'amis de toujours. Que de bons souvenirs. Elle n'était jamais en reste quand il fallait chauffer la salle de bal. Au bar, il y avait Popol qui ne laissait jamais un verre vide et sur la piste Émile et son mari, qui jouaient les taxi-boys pour ces dames seules ou que leurs compagnons ne faisaient pas danser.

Un coup de klaxon tire Raymonde Marchand de ses rêveries et la ramène à sa réalité. Un camion gêne le passage sur le trottoir d'en face.

Raymonde hésite, se demandant si elle doit sortir maintenant ou plus tard dans la fin d'après-midi pour faire quelques courses. Ses amis passeront ce soir comme chaque année boire un verre de porto et marquer le coup. En souvenir du bon vieux temps.

Le soleil est déjà haut dans le ciel et au-dessus de la place de la Liberté bordée de cèdres du Liban flânent quelques promeneurs. En tournant le regard vers la droite on peut apercevoir au loin l'allée menant au marché couvert.

C'est cette position géographique que Raymonde apprécie par-dessus tout. Sa maison de ville a l'avantage d'être à proximité de tous les commerces de proximité, tout en étant un peu à l'écart des zones un peu plus populaires et très animées le soir.

À sa droite, aussitôt le perron franchi, elle arrive chez le boucher, la pharmacie ou encore à la boulangerie.

En prenant par la gauche pour se rendre chez son docteur elle passe devant sa coiffeuse et son poissonnier à qui elle ne manque pas de faire signe à chaque fois.

Plus loin se trouve une artère menant à une zone qu'elle ne fréquente plus depuis plus de trente ans, le Triangle des Bermudes. Lieu prisé des jeunes et autres adeptes de lieux branchés et bruyants. Pourtant à une autre époque elle y avait fait ses armes. Mais tout était différent. Elle avait écumé toutes les places où il fallait aller pour voir et être vu. Mais tout a changé. Aujourd'hui quand on y entre on n'est pas sûr d'en ressortir dans le même état. Il suffit de lire la rubrique faits divers du quotidien local pour être renseigné sur ce qui s'y passe. Jeunes désorientés, fatigués, ne se souvenant plus de ce qu'ils ont fait... Ce n'est pas pour rien qu'on l'a nommée ainsi. Comme cette zone mythique de l'océan Atlantique dans laquelle des navires disparaissent dans d'obscures circonstances.

Raymonde se sent nostalgique à l'évocation de sa jeunesse et de ses souvenirs. Le temps est passé. Aujourd'hui, c'est son locataire qui fraie dans ce genre d'endroit à voir l'état dans lequel il rentre ces derniers jours. Mais elle ne peut pas l'en blâmer ; Il faut bien que jeunesse se fasse. Tel un moustique attiré par la flamme d'une bougie. Danger mais on y va quand même. Qui vivra verra...

Pour balayer ces idées noires, la vieille dame se secoue et s'éloigne de sa fenêtre. Elle se rend dans son petit séjour et s'installe confortablement dans son fauteuil préféré. Elle ira faire ses courses plus tard. Bientôt l'heure de son émission quotidienne. En attendant que ça commence, elle zappe pour éviter les publicités.

Daniel

À l'heure même où l'animateur vedette fait son entrée sous une salve d'applaudissements, au rez-de-chaussée Daniel se réveille. Il a le cheveu hirsute et est de mauvaise humeur à peine levé. Il vient de se cogner l'orteil contre le pied d'une commode. Ça fait très mal. Il se dirige vers les toilettes, fait son affaire et ressort toujours en colère contre le meuble et lui-même. Il n'a pas encore pris ses marques dans cet appartement. En même temps, il n'y est pas souvent. Il lui faudra refaire la déco pour apprivoiser l'endroit s'il ne veut pas se taper contre les imposants meubles à chaque mouvement.

Daniel est un grand gaillard d'environ un mètre quatre-vingt-dix. Son regard franc et son sourire ont rassuré Raymonde Marchand. Avec lui, elle se sentira en sécurité dans sa maison.

Cela fait deux jours qu'il a aménagé ici. Il a eu beaucoup de chance. Cette studette est une véritable aubaine. S'il y est c'est grâce à sa nouvelle chérie fleuriste chez qui il a vu l'annonce. Elle connaît la propriétaire et en a dit que du bien. Du coup, le prix étant vraiment symbolique il n'a pas hésité.

Il vient de se faire virer du garage ou il travaille depuis 2 ans juste parce qu'il a emprunté une voiture pour emmener en balade cette fameuse fiancée-fleuriste. Sauf que son patron l'a attrapé. Au revoir Daniel et sans rancune lui a-t-il dit.

Situé au rez-de-chaussée d'une petite maison de ville, l'appartement a sa propre entrée ce qui offre l'avantage d'être indépendant vis-à-vis de la propriétaire. Il y a une chambre, une salle de bain avec douche, toilettes et un petit coin cuisine, partie la plus moderne et qui a certainement été refaite récemment. Pour tout le reste, tout est vieillot et les meubles, en plus d'être moches selon son goût, sont imposants et durs à déplacer. Il s'occupera de ça plus tard, il a le temps. Il devra s'en satisfaire en attendant. Pas de sortie de prévue aujourd'hui, il veut se reposer. Hier soir il y a été un peu fort sur le whisky et le voilà avec une belle gueule de bois. C'est toujours pareil, il le sait pourtant. De toute façon, il ne bosse pas aujourd'hui et pas avant un bon moment d'ailleurs. Pourquoi ne pas faire comme les autres et profiter du chômage ? Après tout, il a toujours bossé depuis l'âge de seize ans et de manière assidue. Il a bien mérité ces vacances un peu forcées. Après il verra bien.

Les saisonnières

Angélique et Emma sont toutes deux venues pour les mêmes raisons, se faire un peu d'argent avec ce job d'été tout en profitant de la plage et des fêtes entre copains. Les adolescentes travaillent dans le même restaurant de plage et se sont liées d'amitié dès leur arrivée.

Pour Angélique, une grande brune à longs cheveux enroulés en chignon haut, c'est la deuxième saison. La ville et ses festivités n'ont plus aucun secret pour elle. Originaire de Toulouse, la jeune fille venait déjà dans cette station balnéaire avec ses parents durant sa tendre enfance. Aujourd'hui adolescente elle revient encore pour rejoindre sa bande d'amis de toujours.

Emma, elle, vient dans le Sud pour la première fois et c'est tout naturellement qu'elle se laisse guider par sa nouvelle copine, laquelle n'est jamais à court de bons plans en toute situation. Cette jolie métisse, issue d'une famille de médecins a une vie très sage et pour elle cet été est synonyme de liberté. Elle peut enfin se détendre hors des limites imposées par ses parents qui n'aspirent qu'à la pousser à la réussite dans ses études. Elle ne leur en veut pas parce qu'eux même se sont battus pour y arriver et elle comprend qu'ils ne lui veulent que du bien. Mais parfois, ils l'étouffent. Alors cet été elle a bien l'intention de s'amuser un peu. Elle en a bien le droit.

D'ailleurs au camping où elles logent le mot d'ordre est la fête, la plage et les barbecues. Pourquoi resterait-elle toute seule dans son coin ?

Ce soir après le service du soir, les filles ont prévu une virée en ville avec leurs copains. Leur lieu de prédilection *Le Triangle de Bermudes*, avec ses restaurants, ses bars branchés et sa discothèque démente. Elles vont en parler toute la journée.

La famille Garcia

Cet été 2020 est très particulier pour la famille Garcia. Pour la première fois depuis 10 ans ils partent en vacances tous ensemble. Ce n'est plus arrivé depuis si longtemps que c'est événement pour eux. Le père, José, et un homme de taille moyenne mais costaud comme un taureau. Il inspire force et sympathie à tous ceux qui le croisent. C'est un grand travailleur et il est fiable dans son métier d'entrepreneur de travaux publics. En tant que patron, il ne rechigne jamais à donner un coup de main à ses ouvriers si nécessaire et ne compte pas les heures. Ce qui lui a valu un incident cardiaque il y a 9 mois. Le médecin l'a mis en garde et lui a recommandé de lever le pied sinon... Sa famille a eu très peur et José Garcia également, même s'il essaie de donner le change devant sa famille pour ne pas les inquiéter plus. Il est de l'ancienne école et en bon père de famille, il a toujours voulu tout donner à sa femme et ses enfants.

D'ailleurs, sa femme Marie-Thérèse ne travaille pas, d'un commun accord, et s'occupe de ses 5 enfants. Un travail à plein temps qu'elle prend à cœur. Elle adore *ses petits* comme elle les appelle et son mari. Elle sait que l'échec de l'un d'entre eux serait perçu comme son propre échec par José. Le patriarche n'a pas connu ses propres parents et s'est élevé tout seul à la force de ses bras et parfois de ses poings. C'est pourquoi il a voulu de son épouse qu'elle soit une mère et non une femme *maman-travailleuse-toujours-pressée* et surtout stressée. Et tout l'amour qu'il lui porte, elle le lui a rendu au centuple. Il est fier de ses enfants bien élevés et sur le chemin de la vie active.

L'aîné Loïc, 20 ans, veut être avocat pour défendre la veuve et l'orphelin.

Lola à 18 ans se rêve la digne successeur de Claire Chazal au 20 heures. Elle est curieuse et espiègle et se mêle de tout, au grand dam de son grand frère.

Ensuite, il y a les jumeaux Samy et Harry, 15 ans, inséparables et sportifs prometteurs. Le premier excelle sur les courts de tennis tandis que son frère brille dans les courses cyclistes.

Et enfin, il y a Jules le petit dernier. Le bonhomme, a tout juste 6 ans, a bien compris que sa place de benjamin lui confère quelques inconvénients mais aussi de nombreux avantages. Et il compte bien en profiter en manipulant toute la famille au gré de ses envies. Finalement, c'est lui le roi.

Ainsi, cette année le père de famille leur a fait cette surprise en leur révélant qu'il a réservé des vacances familiales sur la Côte d'Azur. Il a loué deux bungalows dans un camping avec piscine et animations, non loin des plages. À cette annonce à la maison c'est l'explosion de joie. L'homme sourit en regardant ses enfants se jeter dans les bras les uns des autres. Il adresse un clin d'œil complice à sa femme qui, à chaque fois qu'elle est émue, a les larmes aux yeux.

Puis les jeunes entament une sorte de danse indienne à grand renfort de *you-you* sensés simuler les chants indiens, entraînant leur père et mère dans une ronde folle.

Sabrina et Léo

Concentré sur son écran, écouteurs dernier modèle avec qualité sonore amplifiée sur les oreilles, Léo n'a pas entendu sa mère entrer dans sa chambre. Elle s'est juste matérialisée devant lui alors qu'Il se retournait pour récupérer une autre manette sur son lit. Son sang ne fait qu'un tour. Il arrache ses écouteurs. Il hurle d'autant plus qu'il a par sa faute renversé la bouteille de soda qui se trouvait sur la table de chevet. Il est furieux. Ses yeux, injectés de sang par manque de sommeil et par l'usage prolongé de l'écran, sont exorbités. Il a la rage. Elle essaie de le calmer mais il ne l'écoute pas. Il lui dit de dégager. Qu'elle n'a pas le droit d'entrer ici, et d'autres choses qu'elle n'entend plus. Mais qui est cette personne ? se dit-elle en reculant vers la porte. Il la domine de toute sa hauteur et par la puissance de sa voix qui a mué. Elle n'a pas peur, bien qu'il l'ait bousculée physiquement parfois, mais elle ne dit plus rien et fixe sans brocher le liquide noirâtre qui s'écoule et se répand sur la moquette déjà marquée par des années de négligences.

Elle n'en peut plus de l'entendre lui crier dessus et n'a plus de mots. Elle se retourne et quitte la chambre.

Léo claque la porte derrière elle pour bien lui signifier, au cas où elle n'a pas encore saisi, qu'il est en colère. Elle a transgressé la règle encore une fois. Ici, c'est son antre, son territoire. Il la hait.

Sabrina descend l'escalier d'un pas lourd, les épaules tombantes comme si elle portait le poids de toute la misère du monde. Mais sa misère à elle c'est son fils. Elle est habituée à ses conflits quotidiens mais elle commence à s'essouffler. Elle n'a plus la force de contre-attaquer. Pourtant elle est encore chez elle et si quelqu'un doit *dégager* comme il dit, c'est bien lui. Il va bientôt avoir 18 ans et d'autres sont, au même âge, autonomes et déjà dans la vie active. Lui ne fait rien et ne cesse d'exiger et de lui pourrir la vie depuis qu'il s'est fait virer de deux écoles. Trois ans de galère avec lui et ce n'est apparemment pas fini. Combien de temps encore avant qu'elle ne s'écroule ? Elle est épuisée et à bout.

Ce matin, l'objet de la dispute est une amende que Léo a prise pour ne pas s'être acquitté du ticket de bus. Et au lieu d'en parler au moment du fait il n'a rien dit et c'est par un courrier qu'elle apprend maintenant que le PV a été majoré par 2 fois. Presque 300 euros à régler. Comment va-t-elle cette fois ? Elle n'a pas les moyens de jeter ainsi l'argent par la fenêtre. Elle bosse, elle ! Elle travaille assez dur, enchaînant les heures, en tant qu'agent de service à hôpital, pour parvenir à sortir la tête de l'eau. Tout ça pour ce fils ingrat qui ne fait que s'empiffrer et jouer aux jeux vidéo nuit et jour.

Alors qu'elle est assise dans la cuisine, fixant le courrier du Trésor public, la tête entre les mains, elle entend des pas retentir dans les escaliers. Son fils descend les marches en courant. Elle se lève et se poste devant la porte de sorte à le voir arriver. Il a revêtu son éternelle veste trois-quarts en cuir noir. Où va-t-il ?

C'est à lui qu'elle s'adresse et pas au Pape ! Il pousse et bouscule sa mère alors qu'elle campe devant lui et force le passage. Quoi ? Des insultes maintenant ? Pour qui se prend-il ? Oui qu'il s'en aille et même, il n'est pas obligé de revenir s'il veut ! Cela lui fera des vacances !

La grande porte d'entrée claque puis c'est le silence.

La pauvre femme est anéantie. Qu'a-t-elle bien pu faire de mal pour que Léo lui en veuille autant ? Pourquoi se comporte-t-il ainsi ? Elle avait pourtant tout fait depuis que son père les avait quittés pour lui donner tout le confort qu'un enfant mérite. Elle ne le reconnaît plus. Il ne communique avec elle que par la violence et les brutalités. Il n'y a pas si longtemps c'est un joli bébé tout joufflu et souriant qu'elle berçait tendrement. Puis ce bébé est devenu un gentil petit garçon. Aujourd'hui, elle ne l'a pas vu arriver, mais c'est ce jeune homme plein de morgue et parfois malodorant qui a pris place chez elle, recouvert tout l'espace de sa noirceur.

Le noir. Comme les murs de sa chambre, comme ses cheveux teints, ses vêtements, les jeux vidéo et films d'horreur qu'il regarde. Comme l'aura qui l'entoure quand il traverse le couloir sans la regarder.

Sabrina soupire. Elle n'arrive plus à respirer et s'effondre en larmes.

Léo

Oui, il hait sa mère. Pour qui se prend-elle ? Elle n'a rien à lui dire. Il sera bientôt majeur et va se tirer d'ici ! Un jour, il lui montrera qu'elle a eu tort de le traiter comme un gamin ! Elle ne perd rien pour attendre. Il étouffe dans cette baraque. Il va se barrer le plus loin possible d'elle et elle verra bien quand elle se retrouvera toute seule ! Il a les boules graves et il faut qu'il fasse quelque chose. Il veut aller retrouver son père. Ouais, voilà !

Léo marche en ruminant. Les passants qu'il croise le regardent bizarrement en se disant que décidément les jeunes d'aujourd'hui sont vraiment étranges. Il croise des enfants, des adultes des vieillards. Le garçon est dans son monde et ne voit personne. Il s'en fout de tout le monde. Il marche longtemps sans but précis et arrive sur la plage. Quelques personnes sont allongées sur leurs serviettes et apprécient les rayons de fin de matinée. D'autres sont dans l'eau. Tous sont insouciants comme le sont les gens en vacances quand ils sont à la mer.

Léo regarde vers le large en se disant qu'il aimerait nager jusqu'à épuisement, jusqu'au bout du bout pour voir ce qu'il y a tout là-bas. C'est peut-être chouette. Le paradis même ou ce qu'on appelle le Nirvana ?

Quelques éclats de rire sur sa droite tirent le garçon de sa rêverie.

Il revient sur ses pas et marche vers la Place de la Liberté. Il y a peu de monde. Quelques boulistes qui organisent leur prochaine partie et des dames âgées assises sur des bancs qui papotent. Il trouve un banc libre et s'y allonge de tout son long. En plein soleil et avec sa veste en cuir il va cuire se disent les joueurs de boules. Il n'est pas normal, se disent les petites vieilles.

Léo s'en fiche complètement, des gens autour comme du reste. Et il s'endort.

Une heure plus tard, Léo calmé et rouge comme une écrevisse de s'être endormi en plein soleil rentre chez sa mère. Il a désormais un but, se tirer de chez elle. Il va aller retrouver son père. À cette pensée, il se sent mieux. Il lui reste à organiser son voyage.

Lorsqu'il entre dans la maison, celle-ci est vide et silencieuse. Elle est partie travailler. Tant mieux. Il grimpe les escaliers et fonce direct dans sa chambre. Il en bloque la porte avec une chaise au cas où. Avec sa mère, il ne sait jamais. Une fois, alors qu'il avait monté une serrure pour s'enfermer tranquille et éviter ses intrusions, elle l'a fait sauter par un serrurier. Ensuite, elle l'a menacé de le refaire autant de fois qu'il s'acharnera à mettre une clé sur cette porte. Ici, c'est chez elle, c'est elle qui paie les factures et Bla, Bla, Bla...

L'adolescent se dirige vers la commode et la tire du mur contre lequel elle est appuyée. Il passe derrière et est satisfait de constater que ce qu'il y a planqué est toujours là. Il a eu une bonne idée de cachette pour une fois. Sa mère n'y a vu que du feu. C'est la chose la plus précieuse qui lui reste de son père. Heureusement qu'elle n'était pas présente quand un bon ami de son mari l'a déposé. L'ami lui a fait promettre de remettre l'objet et la mallette à sa mère. Il a pensé qu'elle pourrait en tirer un bon prix en les revendant.

Léo a promis. Il a menti et gardé le bien, en souvenir. Il n'en a pas pipé mot. Aujourd'hui, ravi de cette décision, il a hâte d'être à ce soir, quand elle dormira. Il lui faudra sortir le fusil de sa cachette et de son emballage, puis le nettoyer et l'apprêter pour son grand jour.

Le cauchemar

Angélique et Emma sont sur leur trente-et-un ce soir. Shorts sexy, cheveux tirés au fer à lisser, *smoky eyes et rouge à lèvres écarlate*, elles sont coquettes jusqu'au bout des ongles. Elles essaient de se tenir de leur mieux sur leurs talons aiguilles de douze centimètres. Elles ont mal aux pieds, mais il faut souffrir pour être belle. Alors elles feignent le détachement et la désinvolture. Elles attendent leurs copains pour se rendre au Triangle des Bermudes. Les garçons leur ont promis le grand jeu. Un *before* puis la discothèque la plus branchée du coin. Ils dépenseront en une soirée la moitié de leur paie du mois. Mais c'est le prix à payer pour s'éclater dans leur conception de la fête. Comme beaucoup d'autres de leur génération, ils veulent vivre leur jeunesse à cinq cents pour cent sans se soucier de mettre des sous de côté pour leur avenir. Ça, c'est le job de leurs parents. Ils sont jeunes, ils sont inconscients, ils sont fous.

Tandis que filles et garçons se retrouvent avec forces embrassades et accolades, un autre jeune homme, moins expansif, quitte la maison maternelle.
Il porte un pantalon noir, des boots et une longue gabardine kaki comme celle des chasseurs. Sur la tête, une casquette noire à large visière lui cache le haut du visage. Accoutré ainsi, il pense

qu'il passera inaperçu. À l'extérieur, il fait encore assez chaud, mais en été toutes les fantaisies sont permises. Personne ne prêtera attention à un excentrique de plus.

Pourtant, un petit garçon croisé avec sa famille l'observe avec attention. Puis il est rappelé à l'ordre par sa maman qui lui répète qu'on ne fixe pas les gens ainsi car c'est malpoli. C'est Jules. Sa famille est de sortie en ville ce soir. La soirée au camping ne les intéressant pas le père amène tout le monde au restaurant. Après un vote, un tantinet houleux, ils ont opté pour une pizza et une glace italienne ensuite. Ils marchent depuis une quinzaine de minutes maintenant, scrutant les cartes affichées devant les établissements sans parvenir à s'accorder. Christian commence à perdre patience et menace de trancher si le choix n'est pas fait dans l'instant. On ne va pas y passer toute la nuit, non ?
Pendant ce temps-là, Jules continue à regarder les passants, juché sur les épaules de son papa. Il domine tout le monde. C'est lui le plus grand et le plus fort. C'est ainsi qu'il entrevoit à nouveau le drôle de type en veste verte et bottes de militaire, là-bas au loin. Du haut de ses 6 ans, le garçonnet sent, sans pouvoir mettre les mots, que ce garçon prépare un coup. Il a le même air que sa grande sœur quand elle veut demander quelque chose de délicat à ses parents. En plus avec cette veste il doit avoir chaud, se dit Jules qui a revêtu ce soir son plus beau polo. Le garçon a disparu au coin d'une rue. L'enfant ne le voit plus.

Dans un pub situé à deux rues, l'ambiance est à son comble. À l'intérieur, la musique rock est à fond, grisant, en plus de la bière, les clients qui dodelinent de la tête ou des hanches. À l'extérieur, la terrasse est pleine. On discute fort, on rit, on s'amuse.

Daniel est dedans, au comptoir. Il commande une seconde bière. Il est contrarié car cela fait une demi-heure qu'il attend Lola. Il envisage ce soir de passer à la vitesse supérieure avec sa fleuriste. Ils se fréquentent depuis plusieurs semaines maintenant et il est en train de tomber fou amoureux de cette nana. Mais elle semble jouer au chat et à la souris avec lui. Ce petit jeu a assez duré de l'avis de Daniel. D'autant plus qu'il lui a prouvé à maintes reprises qu'il est un gars bien. Pourtant, ce soir encore, elle le fait attendre.

Alors que son amoureux rumine de sombres pensées au pub, Lola abaisse son ridcau de fer. Enfin. Elle sait qu'elle est très en retard. Mais un dernier client, un habitué, s'est présenté à la toute dernière minute et elle n'a pas pu lui refuser le bouquet destiné à sa vieille maman pour ses quatre-vingt-cinq ans.

Elle se dépêche de mettre le cadenas et s'en va en courant vers la rue des Écureuils.

Quand elle arrive devant l'établissement, elle constate tout de suite que Daniel n'est pas sur la terrasse. Elle entre et le voit accoudé au comptoir. Il ne l'a pas encore vue. C'est seulement au moment où elle l'enlace et se colle tout contre lui qu'il se retourne et lui adresse son plus beau sourire. Lola est amoureuse.

23 h 25

C'est tout d'abord un murmure qui parvient de la place de La Liberté. Quelques promeneurs pressent le pas, jetant de part et d'autre des regards inquiets. Puis c'est un cri qui retentit, bientôt un autre. Tout à coup, des gens arrivent du coin d'une rue en hurlant aussitôt suivis d'autres qui courent sans savoir pourquoi. Ils suivent le mouvement à défaut de connaître le motif de celui-ci. Ce sont les non-curieux. D'autres, ne voyant rien, attendent de voir, ne sachant ce qui se passe. Les curieux. Certains ont même dégainé leur téléphone au cas où il y aurait quelque chose à filmer. Un homme crie qu'on tire. Une femme ajoute qu'il faut appeler la police ! Tout à coup, des gens émergent de toute part en courant. Parmi eux la famille Garcia qui court en tentant de rester ensemble. Devant, le père qui porte son petit dernier sur le dos. Suivi de sa femme et ses 3 enfants.

Déambulant tranquillement en dégustant leur glace, ils ont entendu le deuxième cri annonçant les coups de feu. Ils n'ont pas cherché plus, ont jeté les glaces à peine entamées et se sont mis à courir. Christian Garcia veut rejoindre le parking et la voiture au plus vite. Il faut qu'il tire sa famille de là. Loïc le grand frère a saisi d'autorité la main de sa sœur et la tire dans son sillage. Heureusement qu'elle a mis des tennis au lieu des sandales à talons qu'elle a achetées la veille. Les jumeaux sportifs prennent chacun un bras de leur mère et l'entraînent dans une course folle. C'est à peine si Marie-Thérèse touche terre tant ils vont vite. Et elle réalise que ses fils ont beaucoup de force. Devant elle Jules, à cheval sur le dos de son père lui sourit. Il aura une super histoire à raconter à ses copains d'école à la rentrée. Il n'a pas conscience du danger qu'ils fuient. Une bouffée de tendresse monte en elle. Elle qui ne croit en rien se met à marmonner une prière et supplie *Celui qui siège tout là-haut* de les sortir de ce mauvais pas.

Au bout d'une rue parallèle à celle où se trouvent les Garcia, on entend une déflagration d'autres riverains accourent. Certaines personnes foncent dans les restaurants pour y trouver refuge, renversant sur leur passage des chaises, tables et tout obstacle gênant leur progression. L'agitation est à son comble. Les serveurs se jettent à terre et les barmen derrière leur comptoir pour se protéger.

Bang-bang. Encore deux coups. Ça se rapproche. Hurlements et hystérie collective.

Angélique et Emma, qui sont sorties du *bar-lounge* pour se griller une clope avec leurs chéris respectifs, sont stupéfiées en voyant débouler la marée humaine. Elles ne comprennent pas ce qui se passe et restent pétrifiées sur place jusqu'à ce que le mouvement de foule les emporte. Emma tombe et se fait piétiner. Elle hurle de frayeur et se protège la tête de son mieux. Personne ne l'aide à se relever. Angélique est propulsée contre un mur ou elle se fracasse le nez. Elle a également perdu une chaussure, mais ne s'en rend même pas compte. Elle est assommée par le choc et la douleur.

D'autres détonations retentissent. Plus personne ne les compte.

Au pub, dans la rue adjacente, tout le monde cherche un abri. Daniel et Lola ont avec une dizaine de clients gagné le sous-sol juste après la première alerte. D'autres encore se sont calfeutrés dans les toilettes. Tous attendent sans bouger. Ils se regardent, effrayés et tétanisés. Personne ne bronche. On pourrait entendre une mouche voler. Trois détonations résonnent au-dessus de leur tête faisant sursauter tout ce petit monde. Des filles et des garçons se mettent à pleurer. Il n'y a plus de fierté, ni d'ego quand on a peur.

Peu après ils entendent le son de sirènes qui s'approchent. Mais personne n'ose bouger. On n'est pas rassuré sur ce qui se passe à l'extérieur alors on reste figé. Après de longues et interminables minutes, on commence à se mouvoir. Les plus jeunes sortent leurs smartphones jusque-là bizarrement silencieux. Bientôt, des chuchotements s'élèvent et après quelque hésitation, c'est la cacophonie.

Tout le monde à une information à donner. Sur les réseaux sociaux, on parle d'un ou plusieurs tireurs. L'un annonce qu'ils sont armés de fusils à pompe et l'autre de kalachnikovs. Une fille déclare qu'ils se trouvent place de la Liberté et est reprise par un rouquin affirmant que maintenant ils seraient rue des Écureuils. Une grande brune informe à son tour l'auditoire que des amis les ont croisés et qu'ils se sont déployés dans tout le triangle des Bermudes.

Lola prend la parole et révèle qu'un important dispositif de police est sur place. Enfin une information fiable et rassurante. Un soupir de soulagement parcourt l'assemblée. L'atmosphère se détend légèrement mais l'air et l'oxygène commencent à se raréfier. Toutefois, la peur l'emporte et nul n'est prêt à sortir. On suppose, on suppute à propos de ce qui se déroule à l'extérieur. Infos et contre-vérités se croisent sur des réseaux sociaux déchaînés. Mais personne n'a envie de sortir. Ils attendent un signe qui leur indiquerait que la voie est libre et qu'ils sont en sécurité.

Daniel sert Lola très fort dans ses bras et se fait la promesse que quand ils sortiront de cette merde, il cherchera un travail sérieux et lui offrira la vie qu'elle mérite. Une belle vie.

Tandis que des projets et espoirs se fondent dans les caves et toilettes du pub, chez Raymonde Marchand, il n'y a plus de doute. Elle appuie sur la touche raccrocher de son téléphone sans fil et se sert un verre d'eau. Elle vient de passer par tant d'émotions qu'elle en a des nausées. Et dire que trois heures auparavant elle fêtait son anniversaire avec ses amis.

Peu avant, dormant à poings fermés, quelque chose l'a réveillé. Elle a pensé à un coup de tonnerre et est restée couchée. Mais une seconde déflagration l'a fait sursauter. Elle s'est rapidement levée, a revêtu son peignoir par-dessus sa chemise de nuit et s'est empressée vers la cuisine, dont jamais elle ne ferme les volets. Sans allumer, elle s'est postée devant et a scruté la rue.

Soudain, elle a vu débouler des gens de droite, de gauche et d'en face. Sa rue habituellement si calme et paisible est le théâtre d'une scène de panique. Que se passe-t-il ? Elle n'a pas hésité longtemps, s'est dirigée vers le salon et emparé du téléphone. Elle a renouvelé plusieurs fois l'appel avant d'avoir un interlocuteur. Le standard de la police est saturé d'appels selon l'agent au bout de la ligne, mais a-t-elle des informations susceptibles de les aider ? Elle a acquiescé. Et Raymonde a raconté ce dont elle a été témoin de son poste d'observation. Cela a été son premier appel.

Peu après, la vieille dame est de nouveau en ligne, avec un agent féminin maintenant. Il ne s'est pas écoulé plus de quinze minutes entre ces deux appels. Pourtant cette fois la voix de Raymonde est haut perchée, à la limite de l'hystérie. Elle vient de voir passer un individu tenant un fusil entre les mains. Alors qu'elle assiste impuissante au spectacle désolant de sa fenêtre, elle le voit se positionner, un genoux à terre et viser. Elle est sous le choc. Non, elle n'a pas vu son visage mais elle peut leur décrire ses vêtements. Oui, c'est un homme selon elle et peut-être un très jeune homme. Non, elle ne voit pas la cible de là où elle se tient. Oui, il continue sa progression. Il est parti en direction de la rue des Écureuils. Oui, il est seul. Et oui, elle reste près de son téléphone au cas où ils auraient besoin d'autres informations.

Elle tire une chaise et s'y assoit. Elle est bouleversée. La nuit promet d'être longue. Elle n'a plus sommeil.

Pendant ce temps durant lequel elle ne voit rien de sa fenêtre, la personne aperçue avance d'un pas tranquille. Vêtu de sa longue veste kaki et sa casquette bien enfoncée sur sa tête Léo progresse et tire au gré de ses envies. Il est comme ses personnages de jeux vidéo, calme et la démarche assurée. Il se sent tout puissant pour la première fois de sa vie. Il a l'œil brillant et un sourire de satisfaction au coin des lèvres. Dans son scénario, il décide qui vit et qui doit mourir.

L'homme qui court avec son gosse sur le dos ? Il va vivre parce que c'est un bon papa qui protège les siens.

L'autre type au loin avec son vélo ? En plein dans le mil. Son vélo va se fracasser contre une fontaine pendant que lui est projeté à terre. Il ne bouge plus.

Les filles avec les mini shorts qui se dirigent vers l'autre rue ? Pas nécessaire de gâcher des balles pour elles, Elles finiront sûrement par se casser la figure avec leurs godasses à hauts talons ou alors elles tomberont sur des gars qui les mettront sur le trottoir. Qui cherche trouve.

Il arrive devant le pub. Un jour, ici, il s'est fait refouler par le videur sous prétexte qu'il était trop jeune. Carnage sur la terrasse. Encore 5 balles. Il n'en reste que 2 dans son Winchester semi-automatique. Dans sa poche, il lui reste des munitions, mais il veut prendre son temps.

Il réajuste sa casquette et s'éloigne du pub.

À l'angle de la rue, il tombe nez à nez avec une femme en uniforme. Il n'a pas vu que la gardienne de la paix n'est pas armée. Il ne lui laisse aucune chance et appuie sur la gâchette. Il est content de lui en songeant qu'elle n'ira plus mettre de PV à qui que ce soit.

Il lui reste une balle.

Le son des sirènes au loin le ramène à la réalité. Non qu'il ait peur, car il s'en fiche. S'ils doivent le choper, il sera prêt. Lui ou eux. Mais avant il lui reste une chose à accomplir. Avant la fin de sa mission. D'ailleurs, le jeu commence à perdre de son intérêt, ça ne l'excite plus. Les rares passants qu'il croise encore ne lui prêtent pas attention. Ils semblent perdus, déboussolés. On dirait des zombies. Léo ricane puis il tourne les talons, planque son fusil sous son long coupe-vent et se remet en marche. Il va prendre un raccourci. Retour au bercail.

Arrivé sur place, il constate qu'il n'y a aucune lumière allumée. Ni en bas ni à l'étage. Elle doit dormir et comme elle prend des cachets elle n'entendra rien comme d'habitude. Tant mieux. Il contourne la maison et trouve la porte de la cuisine comme il l'a laissée en partant.

Il monte l'escalier en silence toutefois. Au premier, il jette un court regard vers la chambre de sa mère. La porte est fermée et aucun rai de lumière. Il se dirige dans sa propre chambre, ôte sa veste et sa casquette et les pose sur le lit, près du fusil. Après une brève hésitation, il reprend l'arme et revient sur ses pas.

Il sort dans le couloir et marche d'un pas feutré jusqu'à la première chambre. Très lentement, il tourne la poignée. La porte s'entrouvre sans bruit. Il a retenu sa respiration. Il pousse le bâtant et pénètre dans la pièce. Tout est plongé dans le noir et il ne voit rien. Il avance. Un pas, deux pas et...

Un son intense et une douleur terrible le figent sur place. Puis une veilleuse s'allume et la dernière image qu'enregistre son cerveau, déjà embrumé, est celle de sa mère assise sur son lit, face à lui et tenant un pistolet dans la main. Le garçon s'écroule.

— Pardonne-moi mon fils. J'espère que ton père me pardonnera aussi.

Ces derniers mots il ne les a pas entendus. Ces paroles si difficiles à prononcer pour une mère qui a commis un acte terrible. Une mère qui n'a pas eu d'autre choix que de reprendre la vie à celui qu'elle a enfanté, afin de l'empêcher de nuire encore. Enfant qui a pris ce soir tant de vies innocentes. Enfant qui n'a pas été le digne fils de son père, champion de tir de son club et plus que tout, soldat mort en campagne à l'étranger. Un héros.

Nouvelle III
Huis clos

Coincés comme des rats. Enfermés, confinés, parqués dans cet espace exigu d'un mètre dix par un mètre quarante. Au plafond une rangée de néons émettant une lumière blanchâtre, sur la paroi du fond un miroir et dans chacun des quatre coins, nous. Il n'y a pas beaucoup d'air. 7 h 30. Il est encore tôt. La météo a annoncé de fortes chaleurs dans l'après-midi.

Pour mes compagnons d'infortune et moi, rien à faire sinon attendre qu'on vienne nous libérer. Mais dans combien de temps ? Nous sommes là depuis dix minutes et ça me paraît déjà une éternité. Nous avons terminé les salutations et banalités d'usages et n'avons plus rien à dire pour meubler les silences. Chacun regarde en l'air, ses pieds ou son téléphone mobile.

Nous sommes lundi et je commence le travail à 10 heures comme tous les matins. En temps normal, j'ai un trajet d'une demi-heure lorsqu'il n'y a pas trop de trafic, ce qui me laisse une heure pour l'instant café avec les copines et le temps d'aller acheter mon déjeuner. Pour aujourd'hui, mon timing risque d'être légèrement perturbé. Mais nous sommes en période estivale, avec son lot de touristes et de flâneurs matinaux de tous genres.

Comme la vieille dame au caddie dans mon angle droit. C'est madame Lanoux. Elle habite au dernier étage. C'est l'unique représentante de la ligue des têtes blanches de notre immeuble. Nos rapports sont cordiaux. Elle est bavarde et interpelle toute personne croisée dans le hall d'entrée. Elle dit faire tout toute seule sans l'aide de personne. Elle a eu mille et une vies mais reste mystérieuse toutefois sur certaines choses plus privées. Comme le fait qu'elle vive seule, sans enfant ni famille qui lui rendent visite lors des périodes de fêtes par exemple. Elle a vu beaucoup de choses au cours de sa longue vie. De bonnes comme de mauvaises dit-elle. Mais elle a la peau dure malgré sa petite taille et sa sveltesse.

Tous les matins, elle part de chez elle avec son chariot à roulettes et son fichu sur la tête. Elle se rend au marché puis fais un tour du quartier avant de rentrer vers onze heures pour son programme télé quotidien. Son caddie est toujours plein, ce qui me surprend toujours étant établi qu'elle vit seule.

Ce matin, madame Lanoux porte une robe tunique bleue avec des fleurs, qu'elle a cousue elle-même. Ses petits pieds sont chaussés de sandalettes plates et dorées comme celles des petites filles bien sages.

Pas du tout mon genre. Je parle des vêtements bien sûr et non que je sois ou non une fille sage.

Moi je m'appelle Emily Farka et j'ai eu trente ans le mois dernier. Comme je l'ai dit, je suis vendeuse dans une boutique de vêtements de la rue piétonne. J'adore mon boulot et mes collègues. Ma responsable Céline est sympa. Je suis une célibataire endurcie par la force des choses et n'ai pas encore d'enfant. Mon célibat, je l'assume. Au vu de la pénurie d'hommes bien dans leur tête, trouver quelqu'un de bien est un vrai parcours du combattant de nos jours. Non que je sois parfaite mais je pense avoir une éducation et des valeurs. Aussi je préfère m'abstenir et attendre la perle rare. Viendra, ne viendra pas ? *That's the question.* En attendant, je bosse, profite des bons moments avec les copines et fais la fête.

J'habite au septième et dernier étage comme madame Lanoux, mais à l'autre bout du couloir. Je suis dans un deux-pièces que j'ai aménagé avec plein de meubles chinés dans des brocantes et vide-greniers du coin. En hiver, je m'y sens bien et quand il pleut je ne mets pas un pied dehors. Un bon film ou un bouquin et une tasse de thé me suffisent. Tranquille le chat. Mais en ce moment c'est l'été et donc fiesta presque tous les soirs. Mon compte est à découvert dès le 10 du mois mais je me renflouerai en hiver. J'ai le cœur léger et la conscience tranquille. Nul cadavre sous mon paillasson et aucun secret inavouable. Tout le monde ne peut pas en dire autant.

Sur cette pensée, je relève la tête et croise le regard de madame Lanoux. Tiens, tiens. Pourquoi me regarde-t-elle ainsi ? À quoi pense-t-elle ?

Je réalise dans le même temps qu'elle ne parle plus. C'est étrange. Ce n'est pas dans ses habitudes. Toutes les fois où nous nous sommes croisées sur notre palier ou en bas elle me noie de paroles plus ou moins intéressantes pour moi. Les personnes âgées, celles qui sont seules surtout, aiment raconter leur vie ou parler de tout et rien lorsqu'elles trouvent une oreille attentive. Mais à cet instant et depuis maintenant presque trente minutes, la femme est bien silencieuse.

Comme si elle avait lu dans mes pensées, elle détourne le regard et feint de se regarder dans la glace. Je regarde ailleurs et mes yeux se posent sur l'homme à ma gauche qui n'est autre que Denis Fich. Près de lui, son fils Arthur fait face à ma voisine. Denis et Arthur vivent au cinquième étage dans un grand et bel appartement, aux dires de leur femme de ménage que j'ai surprise en grande conversation avec la concierge.

Le père doit avoir la quarantaine, guère plus. Il est très grand et costaud. Il doit bien peser dans les cent kilos mais tout en muscles. On sent qu'il prend soin de lui et il est vrai qu'il est bel homme dans son beau costume gris anthracite.

Mais ce matin, il est énervé et pianote frénétiquement sur son téléphone. De temps en temps, il triture son nœud de cravate ou se passe la main dans les cheveux, mais tout à sa tâche c'est comme si nous n'existions pas. Il n'a pas de temps à perdre et ne s'occupe pas de nous. Pourtant il n'a pas le choix, tout comme nous il est bloqué ici.

Son fils Arthur boude dans son coin. Avec ses cheveux longs et gras qui lui tombent sur le visage c'est à peine si on le voit. Et lui, comment fait-il pour voir où il marche avec cette barrière de tifs sur les yeux ? Je me le demande.

Lui s'en fout bien. Vêtu de jeans déchirés de partout, de baskets customisées avec des têtes de morts, il est dans sa bulle. Le casque vissé sur ses oreilles émet une musique hystérique qu'il nous fait gracieusement partager, bien qu'il soit le seul à l'apprécier dans cet ascenseur. Ses pauvres tympans. Et les nôtres sensiblement agacés. Il ne nous voit pas et il se fout bien de nous. Enfin, son père lui touche le bras en lui faisant signe de baisser le volume. Il souffle mais le fait de mauvais gré en se rencognant encore plus, comme voulant se fondre dans le mur d'acier.

Depuis quand sommes-nous dans cette boîte de ferraille ? Quoi, Une heure ! J'en ai marre. À croire que toutes les divinités, du Tibet à l'Afrique en passant par l'Olympe et l'Égypte antique, se sont liguées contre moi. Il faut que j'envoie un texto aux copines et à Céline pour prévenir de mon retard. Pas de pause au café. Je suis dépitée car c'est mon moment préféré de la journée.

Je suis d'un naturel jovial, mais à cet instant précis je n'ai pas le cœur à sociabiliser avec mes trois voisins de galère. Si je compte mon trajet en bus et l'arrêt nécessaire à l'achat de mon repas de midi, je ne serai jamais à la boutique pour 10 heures. Ce n'est plus une probabilité mais une certitude désormais. Autant que les filles ouvrent sans moi.

Je ne suis pas la seule à ruminer ses sombres pensées. Denis Ficho a la mâchoire serrée. Se sentant soudain observé il lève les yeux et nos regards se croisent pour la première fois. Il ne sourit pas. Moi non plus. Pourtant je devine une certaine perplexité chez lui, comme s'il venait de me remettre. Nous nous connaissons de vue certes mais ne nous croisons qu'en de très rares occasions. Il retourne à son clavier et cinq minutes après il m'a oublié.

Mes acolytes et moi commençons à trouver le temps long. C'est madame Lanoux qui a appuyé sur la sonnette d'alarme tout au début. L'opératrice au bout de la ligne a répondu que l'intervention serait prise en charge dans les plus brefs délais. Cela fait une heure et quart maintenant. La vieille dame me regarde avec un léger sourire. Je le lui rends avant de baisser la tête un peu gênée par ses yeux perçants. Lorsque je les relève, je la surprends à observer intensément Denis Ficho. Elle fronce les sourcils comme sous l'effet d'une forte réflexion. Madame Lanoux aurait-elle des pertes de mémoire ? A-t-elle oublié l'homme en face d'elle et qui est entré en même temps que nous dans cet ascenseur ? Impossible. Quoiqu'elle m'ait dit qu'elle a 87 ans. Cela arrive malheureusement parfois à cet âge avancé.

C'est la plus ancienne résidente de l'immeuble. Elle est arrivée avant la naissance de Arthur a-t-elle déclaré tout à l'heure en entrant dans l'ascenseur. Il y a de cela 17 ans.

Et une heure après, elle essaie de se rappeler qui sont ces gens. Et moi, se souvient-elle de moi ?

L'homme en question se sentant scruté relève brusquement la tête. La dame est si surprise que ses paupières battent nerveusement avant qu'elle parvienne à se ressaisir. Elle est toute penaude d'avoir été attrapée en flagrant délit et son regard va se poser sur le plafond. Denis ne sait plus quoi penser. La situation commence à l'enquiquiner, voire à fortement l'échauffer. Qu'est-ce que ces femmes ont à le regarder ainsi en douce ? Aurait-il un reste de mousse à raser sur le menton, il se tourne vers le miroir. Non. Alors qu'est-ce qui se passe ? La jeune il l'a vu quelquefois et la vieille dame un peu plus souvent. Mais il leur aura à peine adressé la parole. Alors qu'ont-elles à le fixer ainsi ?

L'homme est déstabilisé et moi aussi.

Le seul qui semble à mille lieues de ce malaise c'est Arthur. Il abaisse son casque pour s'adresser à son père. Son ton est plein de morgue. Il veut une avance sur son argent de poche. Il a *un truc* à acheter et *ça urge*. Denis l'a remballé sans même lui jeter un regard. Il ne supporte plus la façon dont son fils lui parle ses derniers temps et d'ajouter qu'il devra attendre la fin de semaine comme prévu. *Il n'avait qu'à pas tout claquer.*

Dans mon coin de cabine, je suis tout à fait d'accord avec Denis Ficho. Moi au même âge je n'avais pas d'argent et qui plus est j'avais mon premier job d'été. Je donnais même la moitié de ma paie à mes parents pour contribution aux frais de la maison. Avec mes sept frères et sœurs, nous avons été élevés à la dure avec des responsabilités dès le jeune âge.

Madame Lanoux doit être d'accord mais elle ne pipe mot. Elle a les yeux baissés mais ne rate pas une miette de la conversation entre le père et le fils. Tout comme moi du reste.

L'adolescent devient virulent, à la limite de l'insolence. Son père bout intérieurement et fait beaucoup d'efforts pour se contenir. Quelque chose dans sa stature imposante dissuade Arthur de poursuivre sa rébellion plus longtemps. Il connaît ses limites. Les règles, il les connaît et les a bien compris. Après un regard mauvais à son père qu'on devine plus qu'on ne voit, il remet ses écouteurs. Il tourne ostensiblement le dos à son père et s'adosse à la paroi métallique portant le miroir. Manifestation suprême de la haine à l'égard de ce père si radin.

Un ange passe.

Je me fais toute petite. Difficile de se faire oublier dans l'espace réduit dans lequel l'air commence à se faire rare. On dirait que les murs se rapprochent dangereusement.

Tout à coup, mon téléphone se met à sonner, interrompant la tension ambiante. C'est ma collègue Garance. Elle veut savoir si je préfère qu'elle me prenne une salade ou un sandwich pour ce midi. Garance est vraiment une chouette fille. Nous faisons souvent notre pause déjeuner ensemble. Elle travaille dans le magasin en face du mien et a toujours plein de potins à raconter. Elle est au courant de tout ce qui se passe dans notre rue.

Une fois ma commande passée je raccroche avec un sourire d'excuse pour mes voisins.

— Ce ne sera plus très long maintenant. La petite voix de Madame Lanoux nous a surpris. Du moins Denis Ficho et moi, Arthur n'ayant pas bronché.

— Oui, je pense que le technicien ne va plus tarder. Je vole au secours de Madame Lanoux vu sa tentative pour détendre l'atmosphère. Je vois que vous avez votre caddie. Vous allez au marché ?

— Comme tous les matins ma petite. Je n'y déroge jamais, qu'il fasse beau ou pas.

— Vous avez raison ça maintient en forme. J'espère que le technicien va bientôt arriver.

— Mais oui, il arrive.

— Et qu'est-ce qui vous fais croire ça, si je peux me permettre ? Vous avez une boule de cristal ? Denis Ficho est énervé. Son ton est plus sec qu'il ne l'aurait voulu. Au même moment, il se dit que ces femmes ne méritent pas sa colère. Elles ne lui ont rien fait.

— Non en effet, répondit-elle sans se démonter. Mais voilà maintenant deux heures que nous sommes enfermés ici.

— Oui, vous avez raison. L'homme s'est radouci.

— Vous êtes le monsieur du cinquième étage ? Madame Lanoux a repris du poil de la bête.

— Oui, pourquoi ?

— Oh rien. Simple curiosité. Vous savez, avant vous et votre fils c'était Yvonne, une très bonne amie à moi qui habitait votre appartement.

Denis Ficho ne répond pas. Il n'a rien à dire. Il ne voit pas de qui elle parle. Lorsqu'il est entré dans le logement, celui-ci avait été refait à neuf. Il n'a pas envie de faire la causette. Il veut juste sortir d'ici. Il a déjà raté deux rendez-vous.

Il se remet sur son téléphone signifiant ainsi qu'en ce qui le concerne la conversation est finie.

Madame Lanoux a de nouveau envie de bavarder alors qu'on ne l'a pas entendue durant près d'une heure. Elle se tourne vers moi.

— Je vous vois beaucoup sortir jeune fille. Vous devez faire attention car les gens ne sont pas toujours ce qu'ils paraissent être.

— Pourquoi me dites-vous ça Madame ?

— Parce que les amis que vous fréquentez aujourd'hui peuvent vous entraîner à faire les mauvais choix quelquefois. J'en sais quelque chose ma jolie.

— Peut-être mais vous ne savez rien de moi. Alors comment vous pouvez juger mes fréquentations ? Vous ne les connaissez pas. Avec tout le respect que je vous dois, ma vie privée ne regarde que moi.

— J'en connais une autre qui m'a dit cela il y a fort longtemps… La voix de la vieille dame s'est brisée. Elle se penche pour farfouiller dans son chariot.

Denis Ficho desserre un peu sa cravate et me regarde d'un drôle d'air. Il se demande si la vieille dame et moi nous connaissons bien. Il a été surpris tout comme moi par ses remarques sur mes sorties et mes fréquentations. Il émet un petit sifflement que je ne parviens pas à interpréter mais qui fait réagir la vieille femme.

— Ne vous moquez pas jeune homme. Vous me prenez pour une vieille folle, ce que je suis loin d'être. J'ai encore toute ma tête. Mais je vous dis juste une chose, lorsqu'on retire les beaux vêtements et les bijoux il ne reste que de petits garçons et filles perdus et apeurés qui parfois en croisent d'autres qui font des choses pas jolies jolies.

L'homme ne répond pas. Moi si parce que madame Lanoux commence à m'énerver avec ses phrases énigmatiques.

— Pourquoi vous dites ça ? Il faut quand même vivre. Vous, vous avez bien vécu alors laissez-nous tranquilles au lieu de nous faire peur. On ne peut pas penser qu'aux vilaines choses quand même.

— Oui mais soyez très prudentes ma petite.

— Ne vous inquiétez pas pour moi. Je sais me défendre. Pour moi, la discussion est close.

Je ne sais pas quoi penser des paroles de l'ancienne. Je regarde vers Arthur. Il est toujours dans sa musique et ne paraît pas avoir entendu l'échange. Son père est retourné à la lecture de ses messages sur son portable. Sa mallette est toujours sur le sol et par-dessus il a posé sa veste de costume qu'il a ôté peu avant.

Soudain, nous entendons du bruit à l'extérieur. Le dépanneur est là. Enfin. Sa voix au loin nous informe qu'il tente d'intervenir de l'étage supérieur. Il fait de son mieux pour nous tirer de là, dit-il.

Denis Ficho lui répond de faire vite parce que nous n'avons *pas que ça à foutre*. Heureusement qu'aucun de nous n'est claustrophobe, sinon cette mésaventure aurait été pire.

Mon téléphone sonne. Je regarde l'écran et décide de ne pas prendre l'appel.

Madame Lanoux est en train d'écrire dans un petit carnet. Certainement sa liste de courses ou un aide-mémoire. Ses petites lunettes sur le bout du nez, l'air concentrée, elle ne nous prête plus attention. Cet ascenseur me fait penser à une cellule de prison. Privation de liberté, d'air, de mouvement et plus que tout, devoir faire avec des compagnons qui se mêlent de tout. Ne manquent plus que les lits superposés de part et d'autre. Madame Lanoux a refermé son petit carnet d'un air satisfait, puis s'appuie contre le mur de la cabine et ferme les yeux comme en profonde méditation.

Mon mobile sonne de nouveau. Malgré les œillades de mes *codétenus* je ne réponds toujours pas. Je n'en ai aucune envie. Je sais que c'est Sébastien qui est à l'autre bout de la ligne et je ne veux pas lui parler. Quel pot de colle celui-là. Une vraie sangsue. Depuis trois mois, il n'a toujours pas compris. Il n'accepte pas notre rupture. Pourtant j'ai été très claire. Lui et moi ne sommes pas *faits l'un pour l'autre* comme il le dit. Moi je suis travailleuse et indépendante financièrement. Avec des hauts et des bas mais avec personne derrière moi pour couvrir mes conneries. Sébastien c'est tout le contraire. Il se contente de ses allocations chômage et des courses mensuelles que sa maman lui fait. Décalage total avec moi qu'il pense surmontable. Dans ses rêves. J'ai définitivement tourné la page.

En levant les yeux, je croise ceux d'Arthur posés sur moi. Depuis un petit moment sans que nul ne s'en aperçoive il a baissé le son de sa musique. Il a senti une drôle d'atmosphère et a commencé à épier discrètement son père et les deux femmes présentes dans la cabine. Depuis combien de temps ? Il est à l'affût. Son instinct lui souffle que quelque chose se passe dans l'espace confiné. Son père est plus tendu que d'habitude. Ce n'est pas que de sa faute il en est persuadé. Il y a autre chose.

Il a p… de chaud dans cet ascenseur. Il n'en peut plus de ce trou. Il voit bien que la petite vieille le mate de temps en temps. Elle lui sourit. Il la connaît. Elle habite tout en haut et la jeune aussi. La mamie il l'a aussi vue au parc une fois ou deux. Mais il ne lui a jamais parlé. Il la trouve trop bizarre.

La jeune est mignonne. Il la trouve cool mais elle est trop vieille pour lui. Elle sort presque tous les soirs. Il y a toujours des gens qui viennent la chercher. Elle se fringue bien et quand il la croise en bas elle sent super bon. Il ne lui répond jamais quand elle le salue. Il perd tous ses moyens dès qu'elle arrive. Elle l'intimide trop.

Il repense à la lettre.

Cette lettre non signée reçue il y a deux semaines. Il a été bouleversé en la lisant. Il n'en a pas parlé à son père ni à personne d'ailleurs. Elle a été glissée dans son sac à dos il ne sait ni quand ni comment. Au parc ou au lycée peut-être. Il n'en sait rien. Il y avait son nom donc il sait qu'elle lui a été personnellement destinée. Aucune erreur de ce côté-là. Pour tout le reste il a eu des doutes, a pensé à un canular et au fil des relectures il a été convaincu que l'auteur de la lettre a dit vrai. Il n'arrive toujours pas à croire ce qu'il a appris. So passé, ses certitudes, sur lui, son père, sa mère qu'il n'a pas connue... Celui ou celle qui a écrit cette lettre les connaît tous. Elle sait tout. Il y a trop de détails que lui seul est censé connaître, sauf la partie concernant son père et sa mère. Le reste est simplement venu confirmer des soupçons qu'il a enfouis en lui depuis sa tendre enfance. Son père aura tout fait pour lui cacher la vérité, il lui en veut beaucoup pour ça, mais maintenant il sait tout. Machinalement, il réajuste son sac sur le dos et visionne mentalement les premières lignes de la missive. À force de le lire, il connaît le texte presque par cœur.

L'auteur commence par s'excuser pour les révélations qu'il s'apprête à faire en invoquant une urgence liée au temps qui passe trop vite. *Avant qu'il ne soit trop tard.* Puis il ou elle commence son récit en parlant du grand-père d'Arthur. Il ne l'a pas connu. Un certain Edgar Rinaldi. Un homme odieux qui battait sa femme, qui un jour s'est enfuie avec sa petite fille de six mois dans les bras pour seul bagage. Son bien le plus précieux. Une vingtaine d'années plus tard, la fillette devenue

154

grande a fait de mauvaises rencontres. Sa mère a tout fait pour la remettre dans le droit chemin mais elle a échoué. Les sirènes de la fête, l'alcool, le sexe et la drogue ont gagné la bataille. Entre-temps, la jeune fille a eu un bébé que les services sociaux lui ont retiré. Cela la grand-mère l'a appris beaucoup plus tard, lorsque sa fille mourra d'une overdose d'alcool et autres substances illicites. La grand-mère, grâce à des amies fidèles retrouvera la trace de l'enfant, mais avec son maigre salaire de femme de ménage, impossible de revendiquer quoi que ce soit. L'enfant sera trimballé de familles d'accueil en foyer jusqu'à sa majorité à son grand désespoir. Mais elle gardera tout le long un œil sur lui.

À vingt ans, le garçon devient un grand gaillard, peu bavard mais extrêmement intelligent. Animé par la rage de s'en sortir il travaillera dur et doué avec les chiffres il sera embauché dans une banque aussitôt sa formation terminée.

Heureux au travail, il sera malheureux en amour. À vingt-sept ans, il rencontre l'amour de sa vie. Il tombe éperdument amoureux d'une jeune fille mal dans sa peau. Lui-même cabossé pendant ses premières années de vie, il est certain de pouvoir la sauver de ses démons. Ils sont heureux durant la première année et elle donne naissance à un beau bébé aussi solide que son père. Mais les démons recommencèrent à tourmenter la maman. Jusqu'au jour où elle attendit le départ de son amour au travail et se recoucha pour ne plus jamais se réveiller.

C'est seulement en milieu de journée que les voisins, ameutés par les cris de l'enfant alertèrent les secours, mais il était trop tard.

Le jeune père trouva une femme endormie avec des tubes de comprimés vides sur son lit et tout près d'elle un nourrisson trempé par ses larmes.

Aujourd'hui cet enfant à 17 ans et c'est toi Arthur, conclut la lettre. Ton père c'est Denis Ficho, 45 ans et travaillant à l'agence bancaire du centre. Comme toi, il n'a pas connu sa vraie mère. Bientôt, vous ne serez plus que tous les deux, aussi vous devez être forts et soudés. Bientôt, je ne pourrai plus vous protéger. Mes forces me quittent. Mais de là où je serai, je veillerai toujours sur vous.

La conclusion de cette lettre a laissé le jeune homme sur sa fin. Il a beaucoup d'interrogations, tellement de questions qu'il aurait aimé poser à cet inconnu qui sait tout de lui.

Alors que toutes ses pensées se bousculent dans sa tête, Arthur regarde son père en biais. Il le voit d'un autre œil depuis quelques jours. Rien n'a changé chez lui, mais l'adolescent pense comprendre certaines de ses attitudes maintenant qu'il a eu la lettre. Il le hait toujours quand il lui refuse, comme tout à l'heure l'avance sur son argent de poche. Ou quand il refuse de lui parler de sa mère, de son enfance à lui et plein d'autres choses que l'adolescent ressent le besoin de savoir.

Denis Ficho, sans redresser la tête, sent le regard en coin de son fils posé sur lui. Il a remarqué que depuis plusieurs jours son gamin l'observe à la dérobée. Il se demande ce qui peut bien se passer dans la tête de cet adolescent à l'attitude provocante à son égard. Il espère en son for intérieur que sa crise d'adolescence ne va pas s'éterniser parce qu'il est à bout de souffle. Il fait de son mieux et veut donner à son fils tout ce que lui n'a pas eu et en particulier un foyer stable. Il accumule les heures de travail sans jamais se plaindre, jouant le rôle du père et de la mère. Mais rien ne satisfait jamais se gosse. Que faire de plus, il n'en sait rien. Ce garçon, c'est sa chair et il l'aime. Mais il ne sait pas le dire. On ne lui a jamais appris à dire je t'aime.

De sa mémoire il a effacé tout le mauvais. L'absence de sa propre mère, la perte de son seul et unique amour. Ses nuits d'insomnie ou il se revoit dans les familles d'accueil ou au foyer de jeunes. La maltraitance, les bagarres, les vols de nourriture...

Il a essayé par tous les moyens de ne s'attacher qu'aux bons moments avec son fils. Arthur bébé, Arthur faisant ses premiers pas, sa première dent tombée et récupérée par la petite souris... Il se demande ce qu'il a loupé pour qu'il devienne ce phénomène plein de rancune et de colère contenue.

La vieille femme aussi l'observe. Il sent que ses yeux perçants le traversent. Il y a comme quelque chose de familier dans ce regard. Une sensation de déjà-vu. Il ne sait pas où. Cette idée ne l'a pas quitté depuis le moment où ils ont pénétré dans l'ascenseur. Serait-ce à son travail ? Il ne le croit pas.

Quand le regard de l'homme s'est posé sur elle, le cœur de Micheline Lanoux a failli cesser de battre. Elle a cru un bref instant qu'il l'a reconnue. Mais non, ce serait trop improbable. Pendant longtemps, elle a résisté pour ne pas l'approcher plus que nécessaire. Elle est toujours restée loin à observer, telle une ombre. Sauf lorsque le hasard les a rapprochés et les a mis dans le même immeuble.

Jusque-là, elle veillait, comme une sentinelle prête à donner l'alerte. Ce qui est arrivé souvent. Comme la fois où elle avait retrouvé sa trace dans une famille d'accueil maltraitante. C'était un petit bonhomme de six ans, déjà grand pour son âge. Il se tenait devant le portail avec l'air si malheureux qu'elle s'est approchée et lui a donné un bonbon. À la question de la femme sur ce qu'il faisait là, il a répondu qu'il attendait que ses vrais parents viennent le chercher, car ceux-ci sont trop méchants.

Quelque temps après, un signalement anonyme déclenchait une enquête et un changement de famille à l'issue.

Micheline Lanoux n'a jamais cessé de remercier les deux amies et complices de toujours qui l'ont accompagné dans ses péripéties. Entre deux parties de belotes, à tour de rôle elles passaient des appels anonymes aux services sociaux, racontant ce qu'elles ont vu ou entendu dire de l'odieuse famille. Les faits, avérés par la suite, le couple indigne d'accueillir des enfants a été sanctionné.

Mais ensuite, il y a eu les foyers pour jeunes, les bagarres et violences entre eux et tout le reste. Madame Lanoux et ses amies ont passé beaucoup de nuits blanches en pensant à ce jeune garçon livré à lui-même dans ce contexte. À travers de petites actions insignifiantes et insoupçonnables pour lui elles ont été à ses côtés tout le long.

Jusqu'à ce qu'enfin il se stabilise en entrant dans ce centre de formation et qu'il commence à trouver un certain équilibre.

Et puis il y a eu le drame avec la perte de sa fiancée et sa détresse. C'est l'autre amie de Micheline Lanoux qui a pris les commandes du trio de veille. Elle s'est présentée comme une mamie en recherche d'un petit travail d'appoint pour agrémenter sa retraite et est devenue la nounou d'Arthur. Quelles merveilleuses années elles ont passées grâce à la proximité de Marilou et du petit !

Malheureusement, la femme s'est éteinte peu après l'entrée du petit garçon en classe de maternelle et tout a changé. Micheline ne voyait Denis Ficho et son fils qu'en de rares occasions, qu'elle provoquait. Et la vie a continué.

Les amies de Micheline Lanoux se sont éteintes aujourd'hui, mais elle n'oubliera jamais leur aide précieuse. Surtout celle d'Yvonne qui a vécu dans le logement de Denis et Arthur avant eux. Avant de rendre l'âme, elle l'a aidé à obtenir ce petit appartement du septième étage où elle vit encore aujourd'hui. Hasard pour Micheline Lanoux, qui sonnera un tournant heureux avec l'arrivée du père et du fils. Elle rend grâce au ciel chaque matin en se levant pour ce cadeau qu'on lui a fait sur la fin.

Elle a toujours été dans les parages. Jamais très loin mais pas trop près. Aura-t-elle été trop gourmande ? A-t-elle commis une erreur quelque part en chemin ? Elle ne le saura jamais.

Cette panne d'ascenseur est arrivée à point nommé. C'est la première fois qu'elle se retrouve en leur compagnie aussi longtemps et en est heureuse. Trois générations dans une boîte en tôle certes mais ensemble.

La jeune femme n'est qu'accessoire dans cette pièce de théâtre. Elle ne joue aucun rôle. Micheline Lanoux ne veut pas tout gâcher mais se demande ce qu'elle doit faire à présent.

Il y a quelques jours, elle a glissé la lettre dans le sac d'Arthur alors qu'il faisait de la planche à roulettes avec ses amis. Apercevant son sac sur un banc, elle a sauté sur l'occasion et a filé discrètement. Il n'a rien vu. L'a-t-il lue ? En a-t-il parlé à son père ? Elle n'en sait rien. Elle doit agir sans causer trop de douleur à ses pensées qui lui sont chères. Mais que faire ?

Beaucoup de bruit derrière les parois de l'ascenseur et tout à coup, les portes s'ouvrent. Malheureusement, il est bloqué entre deux étages. Ils ne voient que les jambes des hommes à l'extérieur.

Le technicien les rassure en leur disant qu'ils vont les tirer de là chacun à son tour.

Enfin. Je n'en peux plus. Depuis que madame Lanoux m'a lancé ses remarques sur mes sorties et ma vie privée, je n'ai plus rien dit. Elle non plus d'ailleurs.

Denis Ficho nous propose que madame Lanoux sorte la première ensuite ce sera moi, Arthur et enfin lui en dernier. Nous sommes d'accord. Normal que la plus âgée sorte en premier. Respect dû à l'âge qui dans ce cas précis n'est pas remis en cause, mais parfois, comme dans les files de caisses du supermarché, déclenche des émeutes.

Ladite vieille dame ressort le carnet rangé précédemment dans son caddie et note quelque chose. Elle déchire la page et la plie en deux avant de la ranger dans la poche de sa robe.

Peu après les hommes à l'extérieur nous informent qu'ils sont prêts. Madame Lanoux leur passe d'abord son chariot. Ensuite, 4 bras descendent vers elle et la hissent. C'est un poids plume et c'est rapide. Puis c'est mon tour. Je ne me suis jamais sentie grosse et on me dit que j'ai juste des formes généreuses. Mais les soupirs des hommes et leurs efforts pour me tirer me font douter. Je suis un peu honteuse alors que mes pieds touchent enfin le sol du hall. Je rejoins madame Lanoux qui patiente sur le côté. Par solidarité, nous attendons que nos compagnons soient remontés pour partir. Le contraire aurait été un peu moche de notre part. nous sommes d'accord sur ce point.

Moi je suis en retard alors un peu plus ou un peu moins ne fera aucune différence.

C'est au tour d'Arthur. C'est une ficelle, il n'est pas très lourd. Pour lui aussi, ça va vite. Le voilà près de nous en attendant qu'on s'occupe de son père.

Alors que j'envoie un texto à ma responsable pour l'informer de la suite, je surprends un mouvement furtif. Madame Lanoux vient de glisser le papier sorti de sa poche à l'adolescent. Le doigt posé sur les lèvres en signe de silence elle l'invite à le cacher à son tour. Mais qu'est-ce qui se trame-là ? Je fais celle qui n'a rien vu mais suis à l'affût.

Bientôt, Denis Ficho sera à nos côtés. Avec tous ses kilos de muscles, il a donné du fil à retordre aux types. Bien plus que moi. Il est tout débraillé et a perdu de son aplomb. Après nous avoir salué et souhaité une bonne journée, madame Lanoux s'en va à petits pas pressés. Sans un regard en arrière, elle se hâte vers l'entrée, son chariot vide à sa suite. Tandis que son père est en train de passer un appel, je vois Arthur lire discrètement le bout de papier remis par la vieille dame tout à l'heure. Puis il le roule en une boule et le jeté dans la poubelle aux pieds des boîtes à lettres. Denis Ficho n'a rien vu mais moi oui. Restée en retrait et ne pouvant réfréner ma curiosité j'attends qu'ils soient sortis de l'immeuble et m'empare de la boulette de papier.

« *Montre la lettre à ton père* ». Quoi ? C'est tout ? Et moi qui m'attendais à... À quoi exactement ? Je n'en sais rien. Tout ce mystère pour rien. Déçue je roule à mon tour le papier en boule et l'envoie d'une pichenette dans la corbeille.

Cinq minutes après, j'ai oublié cet épisode, toute à mon empressement à rejoindre mon arrête de bus.

Alors que je suis en route vers mon lieu de travail, Madame Lanoux a fini son marché et entre dans son café habituel. Comme tous les matins, Albert, le patron lui sert son café-crème et la blague entre deux commandes.

Mais ce matin, il remarque que Micheline, assise à sa table, la même depuis une dizaine d'années, n'est pas réceptive. Leurs relations sont amicales et ils s'appellent par leur prénom, sans plus. Albert ne sait rien d'elle, leurs bavardages tournant toujours sur des sujets anodins et peu profonds. Des banalités qui font du bien et leur conviennent, car Albert n'est pas un loquace. Il n'aime pas étaler sa vie privée, contrairement à certains de ses habitués qui viennent déverser succès, malheurs et autres confidences sur son comptoir. Micheline, il l'aime bien. Très volubile à chacune de ses apparitions, elle parle de tout et de rien, de banalités sans conséquence, puis s'en va. Pourtant aujourd'hui il se demande si la vieille femme n'est pas malade ou si elle n'aurait pas quelque tracas. Elle est bien trop silencieuse.

Depuis qu'elle lui a raconté sa mésaventure de l'ascenseur, elle ne répond que par monosyllabes à ses blagues. Comme si elle était ailleurs.

De nouveaux clients entrent dans le commerce et le propriétaire s'occupe d'eux, délaissant Micheline un temps. Après avoir servi le dernier, il s'approche de la table de l'ancienne. C'est la première fois en dix ans qu'il se le permet. En temps normal, ils causent à distance, lui derrière son comptoir et elle à sa place. Mais là il sent sur quelque chose ne va pas. Cette femme aurait pu être sa mère. Elles ont sensiblement le même âge.

Quand Micheline lève les yeux vers lui ils sont pleins de larmes difficilement contenues. Le cafetier est décontenancé. Il ne sait pas quoi dire. Il s'assoit face à elle, lui sourit en lui prenant la main. La vieille dame la serre très fort. Il ne lui pose pas de question. Ils restent ainsi, pendant quelques minutes. C'est Micheline qui rompt l'instant d'un mouvement de tête empli de gratitude, sans mot dire. Elle lui est infiniment reconnaissante de ce geste. C'est un homme bien.

L'entrée d'un client les ramène tous deux à la réalité de l'endroit où ils se trouvent. Albert se lève et retourne derrière son bar. Micheline se redresse et fouille dans son porte-monnaie.

— Non ma petite dame. C'est offert par la maison, l'interpelle Albert.

— Merci mon petit. La dame a une toute petite voix. Alors, à demain.

— Même heure même endroit.

— Oui Albert, je serai là. Bonne journée.

— Je vous réserverai la première danse, conclut-il en riant.

Elle aussi rit avant de saisir la poignée de son chariot rempli de fruits et légumes du marché.

Quand un peu plus tard elle pénètre dans l'entrée de sa résidence, elle est ravie de constater que tout est rentré dans l'ordre. L'ascenseur est de nouveau opérationnel d'après l'affiche apposée au mur. Elle est à l'intérieur, les portes sur le point de se refermer lorsqu'une main s'interpose. Les portes se rouvrent laissant apparaître Denis Ficho. Mais que fait-il là, se demande la vieille femme ?

Mais elle ne se permet pas de le questionner et garde pour elle son étonnement. Il a sa mine des mauvais jours et Micheline baisse instinctivement le regard vers ses souliers. Les portes se sont refermées. Ils se font face. Une telle proximité la gêne mais elle ne dit rien.

Rompant le silence après quelques secondes, Denis Ficho l'interpelle sans préambule.

— Qui êtes-vous ?

Il n'y a aucune agressivité dans sa voix. Juste un brin de lassitude. Mais Micheline n'est pas prête. Ce moment elle l'a préparé mentalement tant de fois... Mais pas pour ici et maintenant, dans cet ascenseur.

— ...

— Madame, je répète ma question. Qui êtes-vous ?

— Pardon, je...

Micheline Lanoux est pétrifiée. Elle n'a pas peur de lui mais ne sait pas quoi répondre. Tout se bouscule dans sa tête. Elle réfléchit à toute vitesse. Tout est allé trop vite. Arthur lui aura donné la lettre qu'il devait avoir gardée sur lui. C'est la seule explication à son retour inattendu et cette heure du jour.

Impossible pour Micheline de faire marche arrière. Voici venue l'heure de vérité. Instant suspendu, huis clos dans un espace improbable. Confidences entre deux générations réunies par un malheureux ou heureux hasard ? Peu importe.

Après l'agitation et la confusion, place au calme et à la sérénité.

— Je m'appelle Micheline Lanoux. J'ai 87 ans. Mon nom d'épouse était Micheline Dérives. Je suis la mère d'Audrey Derives, votre vraie mère. La lettre c'était moi.

Remerciements

Je tiens à remercier ceux et celles qui me lisent depuis toutes ces années.

Amicalement vôtre,

Aïssatou D. Ehemba

Table des matières

Imprimé en Allemagne
Achevé d'imprimer en octobre 2021
Dépôt légal : octobre 2021

Pour

Le Lys Bleu Éditions
40, rue du Louvre
75001 Paris